新潮文庫

東京タワー

江國香織著

新潮社版

7878

東京タワー

I

世の中でいちばんかなしい景色は雨に濡《ぬ》れた東京タワーだ。

トランクスに白いシャツを着ただけの恰好《かっこう》で、インスタントコーヒーをのみながら、小島透《とおる》は考える。

どうしてだろう。東京タワーが濡れているのをみるのはかなしい。胸をおさえつけられる気がする。子供のころからずっとだ。

芝の高台にあるこのマンションに、透は赤ん坊のころから住んでいる。

「そりゃ金銭的には楽だろうけどさ、母親と一緒なんてうざったくねえ?」

つい最近、耕二《こうじ》にそんなことを言われた。

「もっともお前んとこはな、普通の母親と違うからな、いいかもしんないけど」

耕二とは高校が一緒だった。都内でも指折りの進学校で、二人とも比較的成績がよかったが、共通点はそれだけだった。

午後四時。もうすぐ詩史《しふみ》さんから電話がくる。透は考える。いつからだろう。いつから自分はあのひとの電話を、こんなふうに待つようになったのだろう。

透が携帯電話を持ちたいと言ったとき、詩史は鼻にしわをよせた。

「よしなさいよ。なんとなく軽薄だわ」

そんなことを言った。自分は持っているくせに。

詩史の携帯電話には、絹糸を編んだストラップがついている。夜空みたいにつめたいブルーのストラップ。

「自分でつくったの?」

いつだったか透が訊《き》くと、詩史は、まさか、とこたえ、店の女の子がつくったのだと言った。店。代官山にあるそれは、変な店で、家具も服も食器も置いてある。セレクトショップというのだそうだ。いちばん最近いったとき、犬の首輪とエサ入れまで置いてあったのにはおどろいた。しかも随分と高価なのだ。詩史の店にあるものはみんなそうだ。透は思う。詩史さんは何でも持っている。お金、自分の店、そして夫。

四時十五分。電話はまだ鳴らない。透は、ぬるくなったコーヒーを不承不承啜《すす》る。インスタントコーヒーが透は好きだ。ドリップしたものよりも性に合うと思う。うすっぺらい香りがいいのだ。いれるのが簡単だし。

簡単というのは大切なことだ。

一九八〇年三月に、透は生まれた。父と母は、透が小学校に入学した年に離婚した。以来、透は母親と住んでいる。

詩史と知りあったのも、母親を介してだった。

「お友達なの」

母親は詩史を、そう言って透に紹介した。二年前、透が十七歳のときだ。

すんなりした手足と豊かな黒髪。白いブラウスに濃紺のスカートをはいていた。

「こんにちは」

目と口の大きな、エキゾティックな顔立ちのひとだと思った。

「陽子《ようこ》さんに、こんな大きな息子さんがいるなんて知らなかったわ」

詩史は透をまじまじとみつめ、

「音楽的な顔をした息子さんね」

と、言った。それがどういう意味なのか、透には理解できなかったがことさら尋ねはしなかった。

「高校生?」

はい、とこたえた自分の声が、なんとなく不機嫌に響いたことを憶《おぼ》えている。

二年目の大学生活は退屈そのもので、ここのところ透はあまり授業にもでていない。

出欠を厳しくチェックする教師に限って講義がつまらないのは不便なことだ。透はハイポジをステレオにのせ、甘く、湿度もあるのに軽く快いヴォーカルに、耳を傾ける。ガラス窓の外、雨に濡れた住宅地と東京タワーを眺めながら。

大学の女の子たちというのはどうしてああ愚鈍なんだろう。網戸にしている窓ごしに、樋《とい》からぼたぼた流れ落ちる雨の音をききながら、耕二は暗澹《あんたん》とした気持ちで考える。だいいち身体《からだ》に魅力がない。棒のようにやせているか、まりのようにむくむくしているか、二つに一つだ。冗談じゃない。

とはいえ、去年の合コンで知りあった由利《ゆり》ちゃんとは、一応つきあっているわけで、彼女はまあわりと賢いし、ずっと水泳をしていたせいか、身体もひきしまっていて悪くない。

「腹へったな」

ねそべってテレビをみていた橋本が言った。

「カップラーメンとかないの？」

「ねえよ」

耕二はこたえ、めしならあるけど、と、つけたしてやった。ごはんは、いつも大量に炊《た》いて冷凍しておくのだ。

「なんでこんな時間に腹へらすかな。間食するとデブるぞ」

耕二は言い、言ったときにはしかしすでに立ち上がっていて、寄席《よせ》にいくのが唯一《ゆいいつ》の趣味だというこの風変わりな友人のためにチャーハンをつくった。鶏《とり》とねぎでだしをとったスープも、ジップロックに入れて冷凍しておいたものを解凍して、添えた。

「まめだな、お前」

本気で感心しているらしい橋本に、

「普通だよ」

とこたえて、耕二は煙草《たばこ》に火をつける。

年上の女のよさを教えてくれたのは、透だった。透は高校時代の親友で、耕二が馬《ば》鹿《か》だと思わなかった唯一の友人だ。あのころ、耕二はたいていの人間を馬鹿だと思っていた。

「お前、まだいる?」

テレビをみながらチャーハンを口に運んでいる橋本に訊いた。

「いる」

「あ、そう」

橋本は人に無駄な遠慮をしない。耕二はそこが気に入っていた。着替えて髪にムースをつけ、腕時計をする。

「じゃ、俺、バイトいくから」

鍵《かぎ》を放っておもてにでた。骨の一本ゆがんだビニール傘をつかんで。

耕二の現在の生活は、アルバイトが中心だった。無論授業にはでているが、夜は週末も含めてほぼ毎日働いている。両親は健在で十二分な送金もあり、どちらかといえば裕福な学生生活だが、それにしても小遣いは多いにこしたことがない、と思えるし、ビリヤード場でのウェイターは、楽なわりに収入がよかった。

今年の夏休みにはプールの監視員をした。そこで出会った女の子とは二度ほどいい思いをしたし、アルバイトはなにかとおもしろいのだった。他にも、短期のバイトは探せばいくらでもあった。道路工事に伴う住民アンケートの回収から皿洗い、下手くそな画家のヌードモデルまで。

あの仕事は実入りがよかった、と、耕二は思う。街で、画家に直接声をかけられた。やせこけた爺《じい》さんで、吉祥寺《きちじょうじ》の自宅まで通ってくれれば時給一万円払う、と言った。爺さんはおびただしい量のデッサンをし、耕二は三十六万円稼いだ。膝《ひざ》を抱えて座っているだけで。おまけに爺さんは肉食で、ときどきステーキをごちそうしてくれた。

十一月。バイト先に向かうJRの中で、耕二は三十分仮眠する。場所を選ばずに眠れるのは特技だった。しかも、降車駅の直前できちんと目がさめる。耕二は、自分の身体を信用していた。いうまでもなく、頭も。

昔から成績はよかったし、国立大学にもあっさり入ったが、問題はそういうことじゃない。

「自分のことは自分で決めなさい」

耕二は父親に、そう言われて育った。

「決めたら、行動で示しなさい」

とも。

頭のよさというのはつまり、行動能力だ。耕二はそう思っている。

夕食はスタッフルームで摂《と》る。おなじビルの中に、ビリヤード場と同系列のレストランがあり、そこから出前がとれるのだ。スタッフは常時六人。女の子も含め、みんな白いシャツに黒いずぼんの制服を着る。すっごく似合う、と、「由利ちゃん」に言われた制服だ。もっとも、その一言で、耕二は由利のセンスを疑った。自分はジーンズの似合うタイプだと信じているからだ。

タイム・カードをおし、昼間のスタッフと交代する。窓の外には向いのビルのネオンが、雨に濡れてけばけばしくまたたいている。

ようやく電話がかかったのは、五時をすぎてからだった。

「遅くなってごめんなさい」

小さな声で、詩史は言った。

「でられる？」

電話の声は、いつも心細げだ。

「うん」

透が短くこたえると、

「よかった」

と、心から嬉《うれ》しそうに言う。それでいて、

「じゃあ、『フラニー』で」

と言って電話を切る切り方はいつもながらあっけなく、透は受話器を持ったまま、中途半端《はんぱ》に気持ちを持て余してしまう。

「あなたにぴったりの石けんがあるわ」

はじめて会った日、詩史はそんなことを言った。

「石けん?」

「そう。イギリスから買いつけているものなんだけど、私、はじめからあれは男の人に使ってほしいと思ってたの。うちのお客様は女性がほとんどなんだけど、でもね、男性へのプレゼントにしてくれたらいいのにって、そう思って置くことに決めたの。あなたにぴったり」

数日後に宅配便でそれが届いた。小さな、楕円形《だえんけい》の、乳白色の石けんだった。梨《なし》のような匂《にお》いがした。

『フラニー』の扉は大きくて重い。中は奥に向かって細長く、右側にカウンターがある。透が入っていくと、詩史はもう腰掛けていて、ウォッカをのんでいた。強い酒を少しだけのむのが好きなのだ。

「こんばんは」

スツールを半分まわして身体ごと向き直り、詩史は言った。白いざっくりしたセーターに、グレイのパンツをはいている。

「よく降る雨ね。いやんなっちゃう」

そう言って、スツールを元に戻した。透は隣に腰掛けて、ビールを注文した。

「元気だった?」

詩史に会うのは二週間ぶりだ。透は前を向いたまま、

「うん」

とこたえ、左側にいる彼女の存在を、身体じゅうで味わおうとする。手をのばせばさわれる距離にいる彼女を。

石けんが届いてからしばらく、詩史からは連絡がなかった。

「陽子さんいらっしゃる？」

母親あてに電話がかかった日、もし母親がるすでなかったら、いまここでこの人とこうしていることはなかったかもしれない。

「何か話して」

詩史が言った。骨の浮いた手首に、華奢《きやしや》なロレックスがまきついている。

「何かって？」

「何でもいいわ。学校のこととか、いま読んでる本のこととか、いま考えてることとか」

透はビールを一口のみこんで、

「学校は、まあ卒業はできると思う」

と、こたえた。

「それから、校舎の裏に、われもこうの咲いている場所がある」

「好きなの？　われもこう」

「うん、なんとなく。こないだそこをみつけたとき、もう生えたままドライフラワーになってたけど」

「広いの？　あなたの大学」

そうでもない、とこたえたあとで、透は、

「高校にくらべれば広いけど」

と、つけたした。

「そう」

詩史は言い、酒壜《さかびん》のならんだ棚に視線をさまよわせる。

「本は最近あんまり読んでない」

透は忠実に続けた。

「いま考えていることは」

あなたと寝たいと考えている。

「考えていることは？」

ふりむいた詩史の、化粧けのない顔。

「なにも思い浮かばない」

詩史は声をたてずに一瞬だけ笑い、

「私の通った小学校の裏庭には、あじさいが咲いていた」

と言った。

「小学校？　随分さかのぼっちゃうんだね」

詩史は首をかしげ、グラスの氷に指先で触れる。

「大学の庭にどんな植物があったか、全然思いだせないの。一つもよ。おかしいわね」

「一人で歩かなかったからじゃない？」

透は言い、その声に含まれた嫉妬《しっと》の響きに、自分で困惑した。詩史はそれには気づかなかったらしく、

「そうね、そうかもしれない」

と、悪びれずに認めた。二杯目の酒をそれぞれ注文し、二人はしばらく黙ったままのんだ。

あのときの電話は、ほんとうに母親あてだったのだろうか。透は考える。

「あら残念。近くまで来たから一緒にお酒でもって思ったんだけど」

不在を告げると、淋《さび》しそうにそう言った。

「かわりにあなたを呼びだしたりしたら、陽子さんに叱《しか》られちゃうかしら」

「そんなことはないと思いますけど」

透が言うと、詩史は店の名前と場所を告げ、それから思いだしたように、

「あ、でも、あなたお酒のめる？」

と、訊《き》いたのだった。

透はなつかしく思いだす。詩史さんに敬語を使って話していたころ。

そんなふうにして出会ったとき、透には女性とつきあった経験などなかったし、詩史はすでに結婚していた。子供はなく、かわりに店と自由を持っていた。

そんなつもりはなかったのだが、詩史とのことが、結果として耕二をたきつけるようなかたちになってしまった。

「いいよなあ、お前の場合は相手がオトナだもんなあ」

耕二はそんなことを言った。

「もてあそばれるのはいいけど、捨てられて死んだりするなよ」

とか、

「若い肉体をむさぼられてるわけか」

とか。

ちょうど、世間で女子高校生の援助交際がとりざたされているころだった。透の高校は女子の数が少なく、おまけに真面目《まじめ》な子が多かったが、それでも街でみる限り、女子高生たちはたしかにみんな極端に短いスカートをはき、太い脚を太いソックスで強調しながら歩いていた。

「信じられねえよな」

カーキのバックパックを肩にぶらさげ、自動改札機を通り抜けながら耕二は言った。

「ああいうのにだまされるオヤジがいるってのはさ」

そして、ことさら品のない物言いをしたがる傾向のある耕二は、ためいきまじりに、

「俺もしたいな、年上の女と」

と、うそぶくのだった。

勿論《もちろん》、詩史とのあいだに金銭のやりとりはない。援助交際と一緒にされるのは不服だったが、あまりにも事実から遠いので、腹も立たなかった。

詩史さんと自分のあいだに起きたことは、誰にもわかるはずはないのだ。

「吉田のかーさんはどうかな」

耕二がそんなことを言いだしたとき、とめるべきだったと、正直なところ思う。

「いいんじゃない？　わりときれいだし」

そう言ったのは、クラスメートの母親とつきあうなどということが、ほんとうにできるとは思えなかったからだ。

耕二の奇矯な行動力をあなどっていた、と、透はいまにして思う。

二年前。

自分の人生は、あのころからゼリーのように固まりはじめたのだ。じょじょに、しずかに、味のないゼリーのように。耕二のそれについては、知ったことかと思うけれども——。

「さて」

詩史がウォッカをのみほして言った。

「会えてよかったわ」

支払いをすませ、

「今度はもうすこしゆっくり、ごはんでも食べましょうね」

と言って微笑《ほほえ》む。スツールから降りて腕時計に目をやると、

「雨まだ降っているかしら」

と、つぶやくように言った。

「どうかな」

七時半。きっと八時に、夫とどこかのレストランで待ち合わせているのだ、と、透は結論を導く。

「電話するわね」

詩史は言い、素早く店をでていった。

一緒に食事ができると思っていた。

残ったビールをのむ気も失《う》せて、透は所在なくまわりを見回した。壁にかけられた黒板の、ローストビーフサンドイッチという文字をみた途端に空腹を自覚する。

いつからだろう。一体いつから、食欲まで忘れるような状態になってしまったんだろう。

店は混み合い始めていた。大きな花びんに活《い》けられた花が、とり残された透をあざ笑っている。

2

午前中の授業をきっちりと受け、耕二は売店で買ったサンドイッチを、庭のベンチで五分で食べた。いい天気の真昼。耕二はめったに学食を利用しない。愚鈍な奴《やつ》らのそばに寄ると、愚鈍がうつるような気がするからだ。

きょうはアルバイトのない日なので、午後は一つだけ授業にでてから由利と会い、それから透と会う約束をしている。

ラップと紙コップをゴミ箱に捨て、耕二は公衆電話から電話をかける。呼びだし音が鳴っているあいだに、煙草《たばこ》をくわえて火をつけた。

「はい、川野です」

三十五という年齢に似ず、若々しい喜美子《きみこ》の声が応《こた》える。

「あ、もしもし?」

名乗る必要はなかった。

「耕二くん?」

はずむような口調で喜美子は言い、

「うわあ、いい日だわ」

と、つづけた。

「どこにいるの？」

「大学」

喜美子の、細くかたちのいい脚を思いだしながら耕二は言った。

「昼めしを食べたところ。ちょっと声がききたくなったから」

煙草を喫《す》い、まぶしさに眉《まゆ》を寄せながら、青空に煙を吐く。

「嬉《うれ》しがらせるわねえ」

意図的に一拍まをおいた。

「ひどいな。マジで言ったのに」

低く、どことなくがさつな自分の声を、耕二は悪くないと思っている。

「夜は電話できないし」

すねたように続けた。

「なかなか会ってくれないし」

図書館の前の道を、橋本が歩いてくる。耕二は挨拶《あいさつ》がわりに片手をあげた。

「きいて」

喜美子は急いで声をだす。

「私だって会いたいのよ。気がつくと耕二くんのことばかり考えてる」

耕二は吸殻を捨て、スニーカーで踏みつぶした。

「気がつくと？」

もう橋本は目の前に立っている。

「俺はいつも考えてる」

嘘《うそ》ではなかった。短い沈黙。電話の向うで、喜美子が動揺しているのがわかった。すぐに行って、ガッと抱けたらいいのに、と、思う。

「ごめん」

耕二はあやまった。

「また電話してもいい？」

十一月だというのにあたたかい日だ。日なたでセーターを着ているとうすく汗ばむ。

「また電話してくれる？　って、訊こうとしたところよ、いま」

耕二が微笑むと、喜美子もくすくす笑った。

「また電話する」

耕二は言い、電話を切った。あかるくてきっぱりした、喜美子の笑い声が耳に残った。

「俺はいつも考えてる」

橋本が小声で口真似《くちまね》をした。

「ほんとにまめだよな、お前」

マリー・フランクというデンマークの歌手のCDは、先週の日曜日にWAVEでみつけた。試聴したら気に入って、買うつもりだったハイポジをやめて、そっちを買った。透は、朝からずっとそれをかけている。

気持ちよく晴れた日だ。

ふいに思いたって靴を磨いた。靴が汚れているのは貧相で嫌いなのだ。

透はうす暗い玄関に腰をおろして、自分の靴を磨きながら、脱ぎっぱなしになっている母親のハイヒールを見遣《みや》る。エナメル加工されたクロコダイルの、美しいハイヒールだ。母親はゆうべ遅く帰ってきて、昼近くなるいまも、まだ寝室からでてこない。

小学生のころ、遊びにいった友達の家の玄関で、その友達の母親の靴をみてショックをうけたことがある。くたびれた茶色いローヒールで、おどろくほどかたちが崩れ、不恰好《ぶかっこう》だった。

自分の母親がもしこんな靴をはいていたら、どんなにかなしいだろう。あのとき透はそう思った。その家の母親はやさしく、たしかに家庭的なひとにみえたけれど。

透の母親は女性雑誌の編集長をしている。実際の金額は知らないが、結構高給とりであるらしい。父親と離婚したときには、このマンションと透の養育費——大学を卒業するまで、半年ごとに支払われる——の他に、慰謝料というものまで少なからずふんだくっている。

離婚は父親の女性問題が原因だったとはいえ、父親も気の毒なことだ、と、透は思う。

たまに会う父親を、透はとくべつ好きでもなかったが、嫌な奴だとも思えなかった。設計事務所を友人と経営している建築技師で、すでに再婚していて子供もいる。小柄で、おおらかな口調で話し、川釣りが趣味らしい。

子供のころ、一度キャンプに連れていってもらったことがある。両親の離婚から、二年ほどたったころのことだ。夏で、蚊や蟻《あり》が多く(透は虫が苦手だ)、前日の雨で足元がぬかるんでいた。設置されたトイレは狭く汚なく、ドアを閉めると吐き気がした。水のそばは肌寒く、くしざしにした魚はどこを食べていいかわからず、食べても味がしなかった。キャンプは、透の性に合わなかった。

自分の父親がどういう人間か、透にはよくわからない。会ってもたいして話すことがないし、母親の口から父親について聞くこともない。彼の新しい家族については、写真でみたことがあるだけだ。

それでも、母親のような女性と結婚しようと考え、事実九年間も結婚していたというだけで、透は一目おいてしまう。見かけによらず冒険野郎なのだ。その冒険に対して、感心というか慰労というか同情というか、尊敬はしないがしみじみと敬意は払いたいのだった。

「あら透、帰ってたの？」

うしろで声がして、ふりむくと母親が立っていた。青いパジャマを着ている。帰ってたのではなくずっといたのだが、訂正はしなかった。朝の母親は顔色が悪く、髪も露骨に寝乱れている。

「コーヒーいれてくれる？」

母親は言い、すたすたとバスルームに入っていった。バスルームのドアが閉まり、廊下には母親がいつもつけている香水の、なじんだ香りだけが残った。

透は台所にいって、コーヒーメーカーをセットする。

きょうは、夕方耕二に会うことになっている。その前に一つだけ授業にでておくか。意欲と単位を秤《はかり》にかけて、透はそう決めた。

事がすむと、由利ちゃんはすぐに服を着てしまう。口にだしたことはないが、耕二はそのたびにわずかに不満を感じた。

もっとも、狭いベッドでいつまでもぐずぐずくっついていられるよりはましだと思うし、こういう由利ちゃんの態度は、たとえば「はじらい」とか「初々《ういうい》しさ」とか呼ばれる類《たぐい》のものだろうとも思う。

「あしたお店に遊びにいってもいい?」

ベッドに入る前にケーキを食べ、レモンを浮かべた紅茶をのんだその食器を、流しで洗いながら由利が訊《き》いた。

「あした?」

起きあがり、下着を身につけながら耕二はこたえる。

「かまわないよ」

四時半。そろそろでかけなくてはならない。透とは六時に約束をしている。きょうの三つの予定——喜美子に電話、由利とセックス、透に会う——のうち、耕二は三番目がいちばんたのしみだった。透に会うのは夏休み以来だ。

「よかった」

嬉しそうに由利は言う。

「またあれをつくってね」

店というのは耕二の働いているビリヤード場で、あれというのは由利のための特別なカクテル、ということになっているが、レモネードだ。

「でも、この前みたいに一人で来るなよ? 俺は送ってやれないんだから」

「大丈夫よ」

洗い物をおえ、由利はわざわざ自分のハンカチをだして手を拭《ぬぐ》う。

「耕二くんは心配性なのね」

お前が世間知らずなんだ、と思ったが、言わずにおいた。Tシャツとジーパンにジャケットを羽織り、耕二は、

「いくぞ」

とだけ、言った。

渋谷はひさしぶりだった。

大学が中央線沿いにあるので、飲み会の類はたいてい吉祥寺か新宿だ。渋谷という街の軽薄な喧噪《けんそう》に、耕二はどうも馴染《なじ》めない。スクランブル交差点を渡り、約束の店に急ぐ。

買物をするという由利とは、吉祥寺で別れた。

「親友によろしく」

別れ際《ぎわ》、由利はそんなことを言った。

親友。透とは、高二のときに親しくなった。誰とでも気軽につきあっていながら、内心仲間を馬鹿《ばか》にしていた自分とは違い、透は誰のことも馬鹿にしていないようにみえた。ただ、とっつきにくい奴ではあった。昼休みに一人で本を読んでいたりした。本！　はじめは、女の子の気を惹《ひ》くためのポーズかと思ったが、無論女の子たちは本に興味などないのだし、それは耕二自身がよく知っている。

透は母親と二人暮らしで、はじめてマンションに遊びにいった日、室内が瀟洒《しょうしゃ》でおどろいた。なんというか、無駄がないのだ。耕二自身、当時は実家に住んでいたし、両親は金のない方ではなかったが、それでも家というのはもっとごたごたと、父親のゴルフクラブだのトロフィーだの、母親の趣味のフランス刺繡《ししゅう》のクッションだの、下らないものがあふれた空間だと思っていた。

とっつきにくいタイプではあったが、透は耕二を拒まなかった。一緒にバイクの免許をとろうと言ったときには断られたが、あとはむしろつきあいがよかった。女の子と一緒のぎくしゃくした放課後にさえ、誘えばときどき顔をだした。

透とは、いくつか共通点がある。用心深さとか、まわりの人間に流されないところとか。すくなくとも耕二はそう思っている。

それから、年上の女。

自分たちは二人とも、年上の女がむいているのだ。喜美子の笑い声をおもいだす。年上の女の方が無邪気だ、と、思う。

ただ、一つ決定的に違うのは、俺の場合は計画的だったということだ。耕二は考え、エレベーターにのった。

最初は厚子《あつこ》さんだった。

厚子さんには悪いことをしたと思っている。それに吉田にも。

「お父さんがかわいそうだわ」

そう言った吉田の声は非難にみちみちていたが、その目に浮かんでいたのは非難ではなく、痛みだった。ひたすら痛みとかなしみだった。

子供のいる女には二度と手をださない。

耕二はあのときそう決めた。

三階で、エレベーターのドアがあく。五分遅刻だ。まだそう混んではいない店内で、透はビールをのんでいた。

耕二は、五分遅れてやって来た。騒々しく椅子《いす》をひく音をたて、向いの席に腰掛けてから、

「元気そうじゃん」

と、言った。透がメニューをさしだすと、

「あー、腹へった。昼にサンドイッチ食っただけだった」

と言い、店員の持ってきたおしぼりを使いながら、ビールと手羽先、ざる豆腐、それにあぶり牛肉を注文した。

身長は、透の方が四センチ高い。それにもかかわらず、目の前の友人は、透の目に、会うたびに大きく体格よくなっていくようにみえる。いてもわからない人間がいるが、耕二はその逆だ。いれば必ずそれとわかる。

「存在感の問題なんだろうな」

透は、自分が耕二を、まるで弟でもみるような気持ちでまじまじとみていることに

気づく。

「何が？」

耕二は、運ばれてきたビールをいかにもうまそうに飲んだ。お通しにも早速箸《はし》をつける。

「お前の、その体積」

「体積？」

「いるだけで騒々しいっていうかさ」

耕二は怪訝《けげん》な顔をした。

「何だ、それ」

「いいよ、なんでもない」

透は耕二を無条件に好きだった。単純に。それは耕二の長所や欠点とは関係のないことだ。

たとえばあの腕時計。銀色のカルティエは、絵のモデルをした金で買ったと言っていた。透は、自分ならああいう時計は買わないと思う。悪趣味だし、たぶん値段も高いのだろう。

高校生のころ、耕二のつけていた整髪料もそうだ。透は、くさい、と思っていた。

「人と人はね、たぶん空気で惹《ひ》かれあうんだと思う」

いつか詩史がそう言っていた。

「性格とか容姿とかの前にね、まず空気があるの。その人がまわりに放っている空気。そういう動物的なものをね、私は信じてるの」

詩史さんは動物的だ。透は考える。自分にない強さや生気を感じ、ほとんど困惑させられる。

耕二は、「橋本」について話している。「おもしろい奴《やつ》」として、このごろよく聞く名前だ。

「なんか、ダレてんだよなあ。ひとんち来てテレビばっかりみてるしさ、女の子紹介してやるって言っても乗ってこないしさ」

耕二はその「橋本」が、結構気に入っているらしい。

「十九で女に興味ないって異常じゃない？」

注文した料理は、二人であらかた食べおわってしまった。

「お前くらい女に興味あるのも異常だけどな」

しめくくりにうどんを食べようかどうしようか迷う。

「ふーん」

耕二がにやりとした。

「十七のときから愛欲におぼれてた奴に言われたくないよ」

耕二にはそうみえるのかもしれない。透は口をつぐんだ。

「一回会ってみたいよな、透の詩史さんに」

詩史さん、という名前が他人の口から発音されるとき、それは何か全然別なもののように思えた。透の知っている、あの詩史とは何の関係もないもののように。

「いつかな」

透は短くこたえ、店員を呼びとめてうどんを注文する。

「あ、俺も」

耕二が言い、そのあとは、二人で黙々とうどんを食べた。

おもては空気がつめたかった。ネオンだらけの街からでも、星がみえる。透と耕二のあいだには、二軒目の店にいくという習慣がない。大人数でいるときは果てしなくはしごもするのだが、どういうわけか、二人でいるときはしない。

「今年じゅうにまた会おうぜ」

耕二が言った。

「そうだな」

透の「そうだな」は、文字どおりそうしたいという意味で言ったものだったが、耕二には不服だったようで、

「つめたいよなあ」

と、大きな声で言った。

「月に一度くらいは会おうぜ」

透は苦笑する。

「だって忙しいんだろう、バイトだの何だのでさ」

高校時代から、耕二の忙しさは変わらない。

「忙しいさ」

耕二は胸をはった。

「でも時間はつくるよ。必要なものには時間はつくる」

きっぱりした言い方だった。透はなんとなく幸福になる。

「俺は暇だから」

人混みを歩きながら言った。

「いつでもいいよ。あしたでも」

人の多い街だ。勤め帰りの人々も高校生も、きりもなくあふれでてくる。透は渋谷

という街が好きだ。詩史さんは青山が好きだが、透は渋谷の方がくつろげる気がする。

「極端だな。あしたはだめだ。時間つくれない」

「知ってるよ」

夜の風は甘い。肺にやさしくしみるのがわかる。

帰宅すると、九時半だった。母親はまだ帰っていない。透は水を一杯のんで、シャワーをあびた。

詩史さんに電話をしてみようか、と、考える。電話は、いつかけてもいいことになっている。携帯なので他の人はでないし、都合の悪いときにはスイッチを切っているから、と。

都合の悪いとき。商談中とか寝ているときとか、あるいは夫と一緒のときとか。

詩史さんとその夫は、毎晩きまって酒をのむという。

「二人とも仕事を持っているでしょう？　なかなか一緒の時間がとれなくて」

詩史さんはそう説明した。

「食事もほとんど別々なの。私は料理が好きじゃないし」

透は、何度かいったことのある詩史のマンションを思いだす。リビングに、小さな観音像がおいてあった。

「きれいでしょ」

観音像は華奢《きやしや》な腕を四本のばし、間接照明の方が落ち着くと言う詩史の選んだあかりの下で、しずかな深茶色にひかっていた。

あの部屋で酒をのむのだろうか。詩史さんの好きなウォッカを？　一日の出来事を話したりするのかもしれない。音楽をかけたりもするのだろうか。詩史さんはビリー・ジョエルが好きだ。

透はそのまま寝ることにした。電話はあした、かければいい。

3

「バスケットの応援？」

半熟卵をからめた焼きアスパラガス——この店にくると詩史がきまって注文する前菜——を一切れ口に入れ、詩史はたのしそうに訊《き》き返した。

「興味もないのに？　なぜ？」

ガラス越しに、豆電球のついた植込みがみえる。

「誘われたから」

透はぽつりとこたえた。

「暇だし」

詩史はわずかに首をかしげ、透をじっとみている。

きのう、透は大学の友人たちと、バスケット部の試合を観《み》にいった。それを詩史に話したのだった。試合は退屈だった。トーナメントの一回戦が二試合、午前と午後におこなわれ、透の大学は午前中に勝った。透は窓の外ばかりみていた。窓は高い位置にあり、木の枝と空しかみえなかったけれども。

「詩史さんは何をしてた？ きのうの、土曜日」

気分を変えるべくワインを啜《すす》り、透は訊いた。

「お店にいたわ」

詩史はこたえる。人差指に、赤い、大きな指輪をつけている。小さな手の上で、それはなんだか子供じみた美しさを放っている、と、透は考える。

詩史はあまり食べない。メイン料理はいつも一皿だけとって、それを胃に収めるのは透の仕事になっている。

「ね、なにかもっと話して」

詩史が言った。透といるとき、詩史はいつもそう言うのだ。

「あなたはとても感じのいい話し方をするし、とてもいい言葉を使うから」

と。

「いい言葉？」

訊き返すと、詩史は、

「そう。素直な言葉。本物の言葉」

と、言う。

二年前、はじめて二人きりで会ったときにもそう言われた。なにかもっと話して、と。母親のかわりに呼びだされ、うす暗いバーで酒をのんだ日。

「帰りはタクシーに乗せてあげるから送って」

そう言われて詩史のマンションまで歩いた。

「手をつないでもいい？ 私、手をつないでくれない男のひとは嫌いなの」

歩きながら、詩史は携帯電話でタクシーを呼んだ。マンションに着くとすでにそのタクシーが待っていて、透は、一万円札と共に後部座席におしこまれたのだった。観音像の飾ってある居間やマホガニーのテーブル、紺と茶色で落ち着いた雰囲気にしつらえられた寝室に足を踏み入れたのは、それから半年もたってからだった。

二年前、透が自分の生活に、詩史を加えてしまった日。加えたくなどなかったのに。甘いソースのかかった鴨《かも》を片づけながら、透は耕二のことを話した。耕二と渋谷で会った日のことを。耕二のことはよく話す。詩史も憶《おぼ》えていて、共通の知りあいの話をきくようにきいてくれる。たのしそうに。それどころか、ややもするとなつかしそうに。

「耕二くんって、ゴリラみたいな顔をしてる？」

詩史が突然そんなことを訊いた。

「ゴリラ？　いや、そんな顔じゃない」

戸惑いながらこたえた。耕二はもっと、骨ばった顔をしている。

「なんだ、ちがうの」

詩史は言い、煙草《たばこ》をくわえて火をつけた。ひっそりわらいながら、横を向いて煙を吐く。

「ゴリラみたいな感じだろうと思ってたの。話をきくと、いつも」

「いいな、それ。今度言っとくよ」

陽気な気分になってこたえた。耕二はきっとおこるだろう。

デザートの説明に来たウェイターを、詩史は小さく首をふって断った。

「コーヒーはうちでのみましょう」

提案ではなく決定だった。詩史さんはいつもそうだ。なんでもちゃんと決めている。

客が一人もいなくても、店員は球を突いてはいけないことになっている。当然だ、と、耕二は思う。午後七時。昼間の客がすっかり帰り、店はつかのまがらんとしている。

ビリヤード場というのはおもしろいところだ。下手な奴はめったに来ない。学生のグループも中年のカップルも、みんなそれなりにいい音で球を突く。
昼間、喜美子と寝た。ラブホテルとかファッションホテルとか呼ばれる類《たぐい》の場所で、二時間あまりの逢瀬《おうせ》だった。

十六歳の夏にはじめてできた彼女と初心者同士でして以来、耕二は八人の女と——なりゆきも含めて——寝た。喜美子とのそれは、そのなかで群を抜いている。圧倒的だ。合性と呼ばれるものなのか、テクニックと呼ばれるものなのか、耕二にはわからなかったがともかくいつも感動する。感動。それがぴったりの表現だった。

喜美子は稽古事《けいこごと》フリークなので、週に四日外に出る。愛車の赤いフィアット・パンダに乗って。

フィアット・パンダ。耕二は微笑《ほほえ》ましく思いだす。二人が出会ったそもそものきっかけが、その赤い車だったのだ。七カ月前、イベント会場のだだっぴろい駐車場でアルバイトをしたときだ。耕二の仕事は車の誘導で、トランシーバーを持たされて、見張りの塔のようなところにすわった別の男から、「Eの8」だの「Cの6」だの指示を受け、そこに車をつれていく、というものだった。

彼女の駐車場所は隅だった。喜美子はてこずった。手前にでかい車が停まっていて、何度もハンドルをきり直しては、車の中で悪態をつくのがみえた。やがてするすると

窓があき、

「やってもらえないかしら」

と、不機嫌な声がした。

「それは俺の仕事じゃありませんから」

耕二は断った。運転を代わったりしてはいけないと、あらかじめ言い渡されていたのだ。

「お願い」

喜美子は片手でおがむ恰好《かっこう》をした。

「私、駐車苦手なのよ」

知ったことか、と、思った。ばばあ、と。

「私が隣の車にぶつかったりしたら、あなただって責任を問われるでしょう?」

「いいえ」

耕二はきっぱり言ってやった。喜美子はかなしそうな顔をした。

トランシーバーで見張りの男に相談すると、男は、代わってやれ、と、言った。し
ようがねぇな、と。

「高いですよ」

車を停めながら、耕二は言った。

「俺はタダでは働きませんから」

人妻を誘うのは簡単だ。あのときもいまも、耕二はそう思っている。あのひとたちはたのしみに飢えているのだ。秘《ひそ》かなたのしみに、日常からの脱出に。

喜美子の習い事は諳《そら》んじている。華道も茶道も「いけるところまでいった」という喜美子は、目下フラメンコに夢中になっている。そのほかにヨガと料理とフランス語を習っていて、きょうはヨガの日だった。

ヨガの教室は恵比寿にある。よって恵比寿のホテルにいった。

喜美子は黒い下着をつけていた。抱くと肋骨《ろっこつ》があたるほど痩《や》せていて、しかしフラメンコの賜《たまもの》か、手足は美しく筋肉がついて力強い。手のひらの大きいことが、昔からコンプレックスなのだと言っていた。

耕二は喜美子の手のひらが好きだ。普段はつめたいのにベッドでは温度があがるところも、耕二の肌をなでるときの狡猾《こうかつ》な動きも、股間《こかん》にすべりこみ、耕二をやさしくつかんだり包んだりするときの貪欲《どんよく》な甘さも。

「どうしたらいい?」

耕二はときどき訊いてみる。

「どうしたら俺はもっと喜美子さんをよくしてあげられる?」

喜美子はそのたびに股間から顔を上げ、

「黙って」

と、言うのだった。

喜美子はまた、不思議なほどしなる身体《からだ》をしていた。耕二の動き一つ一つに、彼女の肉体が幸福がるのがわかったし、耕二が肌に小さく息をこぼすだけで、喜美子は唇をふるわせた。そのくせ、どんなに激しいキスをしてやっても、たりないとばかりに足をからめる。身を反転させ、キスのさなか、まるでもっと、というように、耕二の頬に手を添えさえした。喜美子の肌は、耕二の肌にぴたりと添う。

くんづほぐれつ、という言葉がけんかのためのものではないということを、耕二は喜美子に知らされた。

喜美子とのセックスには果てがなかった。波のように、いつまでも満ち干《ひ》きをくり返せそうな気がした。

やがて、喜美子がほんとうにせつなそうに、

「お願い、もう許して」

と、負けを認めるまで。

耕二にとって、たとえば話をするときは、由利は由利でなければならなかった。ほかのかわいい女ではだめで、由利は由利だからいいのだ。(話をしているとき、由利の目はいきいきとひかる。どこか甘えた口調で、それでいて頭の回転ははやく、耕二には想像もつかない方向に、言葉がどんどんでかけていく。)ただ、セックスとなると別だった。由利とのそれは、ほかのかわいい女とのそれでもおなじ気がする。そこが喜美子との違いだ。喜美子とのそれは、喜美子と自分とのあいだにしか成立しないものだと思う。二人だけにしかつくれないものだ。

「勉強家ですね」

バイト仲間の声に、耕二は現実にひき戻される。膝《ひざ》にひろげた商法の本――来週試験があるのだ――は、みてもいなかった。

「そろそろお客さん来ますよ」

「そうだな」

繁華街のビリヤード場はしずかで、黒服のバイトが数人、カウンターにもたれてしゃべっている。

深夜、透が部屋で本を読んでいると、泥酔《でいすい》した母親が帰宅した。

「ほら、陽子さん、お家ですよ」

「靴、陽子さん靴を脱いで」

幾人かの女の声がする。

「しょうがないな」

透は舌打ちをして立ち上がった。女たちが部屋にあがりこむ音、台所の床を踏む足音。

「すみません」

透は廊下にでて女たちに言った。母親は台所で、流し台の縁につかまって立っている。

「あら、透、ひさしぶり」

ふりむいて、不機嫌に言った。

「ひさしぶりじゃないよ、今朝も会ったでしょう」

台所にいき、冷蔵庫からミネラルウォーターの壜《びん》をだしてコップについだ。

「酔っ払っちゃったわ」

母親は低い声で言う。

「みればわかるよ」

そのあいだも、女たちは背後で喧《かまびす》しい。やさしい息子さん、とか、素敵なお家、とか。アルコールのせいで一様につややかな顔をして、もとはさぞべったり塗ってあったのだろうと思われる口紅が、おびただしい——に違いない——飲食のせいではげて薄くなっている。もはやすっかり体臭と同化した、数種類の香水の匂《にお》い。

年上の女が好きだなどと言う耕二に、このありさまをみせてやりたいと思った。

「何本飲んだの」

透の母親はワインが好きだ。ワインのない人生を生きる気はない、と宣言している。

「ほんとにすみませんでした、御迷惑をおかけして」

透はあらためて女たちに言った。もう帰れという意味だと、一体どう言えば通じるのだろうかと訝《いぶか》りながら。


「大学の奴《やつ》らってさ、なんか刹那《せつな》的じゃない？」

電話口で、耕二はそんなことを言った。晴れた真昼、透の家の居間は日がふんだんにさしてあかるい。

「なんていうか、いましかたのしめねえみたいにさ」

こういうことを言うときの耕二が、透は昔から好きだ。愛があると思う。耕二は他人のことでもきちんと胸を痛める。

「仕方ないよ、それも」

透は微笑を含んだ声でこたえる。

「いろんな奴がいるよ」

数人の顔を思い浮かべた。学校に来る前に、毎朝なわとびをするのが日課の奴とか、いつも女の子たちとしか昼飯を食わない奴とか。

「そりゃそうだけどさ」

「それよりどうしてるの、最近」

置時計をみた。午後三時四十分。もうすぐ詩史さんから電話がかかる。

「ばたばたしてる。冬休みに入って、バイト一コふやしたりしたし」

「へえ、なんの?」

たまには音楽でも聴きましょう。この前詩史さんはそう言った。知り合いの娘さんがピアノを弾いてるの、と。

「デパートの倉庫」

「きつそうだな」

詩史さんはバッハが好きだ。マンションにいくと、ときどきかけてくれる。

「先週は由利ちゃんとスキーにいったし」

「へえ」

「来週はバイト先の連中とまたスキーだし」

「へえ」

「もうすぐクリスマスだし」

いつからだろう。いつから耕二と電話をしているときまで、詩史のことを考えるようになったのだろう。

「透は？　忙しいの、最近」

いや、とこたえて、もう一度時計をみる。三時四十五分。

「べつに忙しくなんかないよ、冬休みだし」

「何してんだよ、毎日」

「……本読んだり」

本は、詩史との、数少ない共通項の一つだ。

「ああ、このあいだはバスケットを観《み》にいった」

「バスケ？　なんで？」

「……誘われたから」

みんな理由を訊《き》くのだ。コードレスフォンを肩ではさみ、透はやかんを火にかける。

「どうせ一回戦負けだろ？」

透の大学は、スポーツで名を馳《は》せたためしがない。

「あとは、そうだな、週に二回家庭教師のバイトにいくくらいかな」

一年前から中学生に英語と数学を教えている。

「暇そうだな」

「暇だよ」

カップにインスタントコーヒーの顆粒《かりゆう》を入れ、やかんから湯をそそぐ。たちまちうすっぺらな香りが鼻にとどく。

「詩史さんは元気？」

「ああ」

透はコーヒーを啜《すす》り、三たび時計をみる。詩史の話はしたくなかった。してもわかるはずがないのだ。年上の女を故意に選んでたのしんでいるような耕二に。

「黙るなよ」

耕二が言った。

「気難しいお子様みたいにさ」

透はむっとする。

「詩史さんの話はしたくないんだ」

「なんで？」

「なんでも」

恋はするものじゃなく、おちるものだ。透はそれを、詩史に教わった。いったんおちたが最後、浮上は困難だということも。わかった、と、耕二は言った。わかった、お手上げだ、と。

「また電話するよ」

「了解」

透はこたえて、電話を切った。

もうすぐだ。もうすぐ詩史さんから電話がかかる。午後四時。透は膝を抱えて頭をのせ、目をとじて待った。

電話を切ると、耕二はごろりと横になった。

「東京タワー？」

「うん。なんとなく好きなんだ」

かなり真面目《まじめ》に受験勉強をして高校に合格し、電車通学にも授業にも慣れて、なんだ、進学校ったってたいしたことないじゃん、と思い始めたころ、透とたまたま帰りが一緒になった。

へんな奴だと思った。

東京タワーなんて、いなかの中学生が修学旅行でのぼるものだと思っていた。自分では一度ものぼったことがなかったし、あれから五年たったいまも、依然としてのぼったことはない。

「ほかには?」

スニーカーをひきずるように歩きながら、耕二は訊いてみた。

「ほかには何が好きなの?」

透はしばらく考えて、

「べつにないな」

と、こたえた。

「とりたてて言うほど好きなものも、嫌いなものも、ない」

へんな奴だ、と、もう一度思った。

透はいつも穏やかだ。腹の立つこととか、くそいまいましいこととかは、ないようにみえる。反対に、望外のラッキーに有頂天になることも。

起きあがり、洗面所にいって顔を洗う。髪も濡《ぬ》らし、ムースと手櫛《てぐし》で整えた。きょうも、夜はビリヤード場でのバイトがある。たのしく生きるには金が要るし、たのしく生きられなければ生きる意味がない。

耕二は鏡をのぞきこむ。精悍《せいかん》な顔だちだ。悪くない。日焼けサロンになどいかなくてももともと適度に色は黒いし、幸運なことに目鼻立ちも整っている。

自惚《うぬぼ》れてるのね。

喜美子の声がきこえる気がした。耕二くんは自惚れてる。ときどきむかっ腹が立つわ。

喜美子はしばしば汚い言葉を使う。耕二くんといるとうつっちゃうのよ、と言っていた。耕二はそれが気に入った。

捨てるのはこっちだ、と、決めている。

いままでもそうだったし、これからもそうだ。

鏡の前であごを上げ、あごを引く。頭のてっぺんの髪を少し直した。

「完璧《かんぺき》」

耕二は言い、ジャケットを羽織った。

4

父親は、チェックのシャツにセーターを重ね、コーデュロイのずぼんをはいている。

「大学でも、優秀なのかな」

変な訊き方をした。

「全然優秀じゃないですよ」

透はこたえる。割り箸《ばし》で割った大根から、だし臭い湯気がのぼった。

「留年はしないと思うけど」

父親とは、ごくたまにしか会わない。会っても、いままで進路について相談したこともなければ、個人的なこと――たとえば恋人の存在とか、新しい友達とか――について話したこともない。金の無心をしたこともなければ、夜更《よふ》けまで飲んだこともない。それでも、父親に会いたいと言われれば、透は指定された場所に出向くことにしている。おでんでも食うか。今回、父親はそう言った。

「お母さんは元気かな」

いつもの質問だ。

「元気ですよ」

いつものようにこたえた。

「忙しいみたい。出張も多いし」

あいかわらずで、このあいだもひどく酔っ払った、と、つけたすと、父親は苦笑いをした。

父親の、新しい妻は酒を飲むのだろうか。透は考える。図書館に勤めていると聞いた。父親と同い年だという。いい妻なのかもしれない。

正直なところ、でもそれは自分と関係のないことだ、と、透は思う。関わりたくない、と。ようやく自分にも、自分だけの生活がみつかったところだ。透はそう感じている。それは忽然《こつぜん》と姿をあらわした。父といるときの自分とも、母といるときの自分とも、耕二といるときの自分とも、違う自分が存在した。それは、家にいる時間とも、学校にいる時間とも、全く違う時間を発見したことと関係があるのだろう。詩史との時間。

透は、どこにも属していない自分をはじめて発見したし、その、本来の自分ともいうべき自分でいることが気に入っていた。自然で自由で幸福だった。そして、その自分は詩史さんによって存在させられている。

詩史とは、先週音楽会にでかけた。詩史の「知り合いの娘さん」は水色のロングドレスを着て、ショパンとシューマン、それにリストを弾いた。

音楽を聴いているあいだじゅう、透は隣にすわった詩史の存在を、溶けそうな熱さで意識していた。待ち合わせ場所のホールのロビーで、「似合うわ」とほめられたスーツ姿で。

コンサートのあと、ショット・バーにいった。賑《にぎ》やかな大通りをならんで歩きながら、透の中ではずっとピアノの音がしていた。曲名さえ知らないのに、たったいま聴いた音の一つ一つが、冴《さ》え冴《ざ》えと豊かなかたまりのまま、透の身内でうねっていた。ひどく美しく。

詩史さんといるといつもそうだ。

たとえばイタリア料理を食べる。透は頭のてっぺんから足の先まで、イタリア料理でいっぱいになってしまう。髪の毛の一本一本まで。量の問題ではなく純度の問題だった。

たとえば音楽を聴く。透は身体《からだ》じゅう音楽で満ちてしまい、他のことは何一つ考えられなくなる。

「いい演奏だったわね」

詩史が言い、その瞬間に透は悟るのだ。これはピアニストの力ではなく詩史の力なのだ、と。自分は詩史のなすがままだ、と。

「耕二くんはどうしている？」

父親が訊いた。透の友人で、父親が名前を憶《おぼ》えているのは二人だけだ。一人は小学生のころにおなじマンションにいた「たっちゃん」で、透自身、父親が憶えている以上のことはもう憶えていない。

「元気ですよ」

母親についてこたえたのとおなじようにこたえた。

「いろんなアルバイトをしてて、それなりにやってる」

「それなりに、か」

父親はおもしろそうにくり返すとぐい呑《のみ》の酒を干し、手酌でまたそれをみたした。

「彼は医学部だっけ？」

「経済」

「ほう、経済か」

耕二の父親は開業医だ。耕二と八つ歳《とし》の違う長男が、すでに医学部をでている。

「よく会ってるの？」

「まあ、たまに」

透はこたえ、玉子を口に入れた。父親が友達好きなのはわかっていた。学生時代の友人や釣り仲間、現在の会社も友人と共同経営しているわけなのだし、友達を大切にする質《たち》の男なのだ。

以前なら、こういうときにやや苛立《いらだ》った。透はもそもそする玉子をのみこんで、ビールをゆっくり喉《のど》に流す。透自身は友達の多い方ではないし、友達の大切さについて、暗にほのめかされるのは子供の時分から鬱陶《うっとう》しかった。

今夜の透は、しかしまるで苛立たなかった。詩史のことを父親に話す気は無論なかったが、詩史の存在が、自分をゆったりとさせているのは確かだった。ゆったりと、父親と対等のものとして。

ショット・バーのあと、詩史のマンションにいった。

「まだピアノ残ってる？」

詩史は訊き、透が残っているとこたえると、

「じゃあ音楽をかけるのはやめましょう」

と言った。部屋の中はしずかで、窓の外には夜景がひろがっていた。東京の街の、

無数の灯り。透の知る限り、詩史は夜もカーテンをひかない。寝室は別だけれども。

「タクシーを呼んでほしいときには言ってね」

詩史が言い、透は詩史の唇をふさいだ。

勘定をすませ、父親と透はおもてにでた。

「どうする？　このあとはまっすぐ帰るのか？」

「うん」

駅まで歩く途中で、父親は自動販売機から煙草《たばこ》を買った。十二月の銀座。

「お母さんによろしく」

「うん、伝える」

改札の内側で別れた。

詩史と二人で会い始めたころ、透はある日母親に、

「詩史さんとデートしたんですって？」

と、言われた。母親は、「デート」の中身を完全に把握していた。どこで待ち合わせてどこで食事をし、どこで透がタクシーに乗せられたか。

「上品な息子さんねって言ってたわよ。あのひともおもしろいひとだったでしょう？」

詩史のしたことで、透が腹を立てたのはあの一度きりだ。

「ごめんなさい」

次に会ったとき、詩史は困ったように謝った。

「だって、変じゃない？　隠すのも」

透は黙っていた。それ以上責める理由を思いつかなかったからだし、それでもやっぱり不本意だったからだ。

「隠すと、悪いことをしているみたいじゃない？　なんだか」

その通りだった。でも、詩史が言葉を重ねれば重ねるほど、透は不本意に感じた。

「ときどき会ってるってことくらい、教えといてあげましょうよ、陽子さんには」

透には、反対する理由がなかった。

いまならば、と、透は思う。地下鉄を神谷町で降り、ゆるい坂道をのぼりながら。いまならば、詩史さんも母親に逐一報告することはできないだろう。あなたの息子さんとときどき会って、そしてときどき寝ています、なんて。

寒い夜だ。吐く息が白い。この坂をのぼるとき、振り向くとそこには東京タワーがみえる。いつも。真正面に。夜の東京タワーはやわらかな灯りに縁どられ、それ自体が発光しているようにみえる。まっすぐな身体《からだ》で、夜の空にすっくと立って。

家に帰ると、母親はまだ帰宅していなかった。シャワーを浴び、牛乳をのんだ。透は牛乳が好きだ。砂糖を入れなくても奥底で甘いところがいい。

子供のころ、家でも学校でも、牛乳をのむことはやけに奨励されていた。牛乳をのむと大きくなれるから、と。大人になると誰も奨励しなくなるというのは、自分がもう十分に大きいとみなされている、ということなのだろうか。だからもう牛乳は必要ない、と。透は、なんとなくそれも不思議なことだと思った。

時計は、十一時三十分をさしている。冬休みのレポートを一つ片づけておくか。透は決め、自室にひきあげてドアをしめる。

大晦日《おおみそか》、母親の仕度ができるのを待ちながら、透は部屋の中で所在なくしていた。スザンヌ・ヴェガを聴きながら、写真集の頁《ページ》を繰ってみる。『渾成《こんせい》の大地』という写真集だ。中国の街と人が写っている。

透は、写真集を四冊持っている。一冊は詩史に贈られたもので、あとの三冊は自分で買った。二冊は詩史の店で、残りの一冊は詩史と一緒に洋書屋でみつけて。

透の持っている四冊の写真集は、すべて詩史の本棚にもある。本棚のどのへんにあるかも知っている。

詩史は写真が好きだ。絵よりも現実的だから好きなの、と、言っていた。一度、詩史に誘われて写真家の個展にいったことがある。ビルの中の小さなギャラリーで、透と詩史の他に、客は一人しかいなかった。詩史はその写真家と親しそうだった。肩に手をかけてひきよせあい、外国人のように頬をつける挨拶《あいさつ》をした。写真家はやや戸惑いぎみに、しかし上手にそれを受け止めた。詩史の両肩に手を置いて。はっきり憶えているのだが、その瞬間、透は二人の関係や接触にではなく、写真家の年齢にはげしく嫉妬《しっと》した。この男は、自分の知らない——そしてもはや永遠に知ることのない——詩史を知っているのだ。そう思うと腹が立った。

痩《や》せた、日に灼《や》けた、白髪まじりの男だった。

「透」

廊下で母親のせわしなげな声がした。

「いくわよ。遅れちゃうわ」

大晦日に年越しパーティをするから来てほしい、と、透が電話で誘われたのは四日前だった。

「陽子さんには招待状をだして、もう出席の返事をいただいてるの。透くんもぜひ御一緒にって書いといたんだけど、陽子さんからきいてない？」

その誘われ方は多少不満だったが、状況を考えれば仕方のないことだとも思えた。それよりも会えることの方がずっと重要だ。

「大晦日？」

「そう。親しいお友達ばかり十五人くらい招《よ》んだの。気楽な集まりよ。昔は毎年やっていたんだけど、ここのところ浅野も私も忙しくて、パーティをするのはひさしぶり」

詩史はたのしそうにそう言った。

浅野。それは詩史の夫の名前だ。当然詩史の名前でもある。

「行ってもいいの？」

透は遠慮がちに尋ねた。

「誘ってるのよ」

詩史の声は、澄んでいてしずかだ。

「母さんに、どう言えばいいかな」

母親からは何もきいていなかった。

「私にきいたって言えばいいわ。私に誘われたって」

透は、そうする、と、こたえた。

タクシーを降りると、透は母親のあとにつづいた。ずしりと重い、深紅の花束を持たされている。

「あたしは早目に帰ることにするけど」

エレベーターに乗ると、母親は言った。

「あんたもほどほどにしときなさいね」

最上階で、エレベーターを降りる。

「あしたは杉並のうちに顔をださなくちゃならないんだし」

杉並のうちというのは母親の実家だ。

「わかってる」

透はこたえた。

「気楽な集まり」はもう始まっていた。詩史が間接照明を好むせいで部屋の中は暗く、人いきれでむっとしている。

「陽子さん！」

詩史はまず母親を招じ入れ、それから透に微笑《ほほえ》みかけた。

「来て下さって嬉《うれ》しいわ」

それはほんの一瞬だったし、冷淡なまでにあっさりした微笑み方だった。透は、自分の知っている詩史ではないような気がした。受けとった花束を抱えたまま、詩史は他の客と話し始める。

随分ひろいリビングなのに、人の多いせいで狭く感じた。ダイニングカウンター——このうちにはテーブルというものがない——には何本ものワインと、チーズやカナッペ、スモークサーモンや果物がならんでいる。透は小さく微笑んだ。詩史さんは料理が嫌いなのだ。どっちみち、夕食の時間はとうに過ぎている。

透の知っている顔は、詩史の店の女の子二人だけだった。母親はすでにワイングラスを手に、透の知らない女と談笑している。

この部屋の匂《にお》い。透はそれをかぎ分けようとした。人々やアルコールや、壺に活《い》けられた大輪の百合《ゆり》の匂いの向うに。

浅野のことはすぐにわかった。以前に写真をみていたし、それに、詩史が他の人間に対してとは違う態度で寄り添うからだ。何か囁《ささや》いたり、自分のグラスを持たせたり。

「どうぞ」

声がして、誰かがワインを差しだした。

「すみません」

透はそれを受けとった。差しだした女性はにっこりして、

「陽子さんの息子さんですって?」

と、言った。そのとき観音像が目に入った。いつもは目立つものなのに、きょうは周囲に埋もれている。華奢《きやしや》な四本の腕、深茶色の佇《たたずま》い。透はそれを、友人のように感じた。

チーズでも食べるか。

そう思って大皿のならぶカウンターに近づいた。

「透くんかな」

呼びとめられ、振り向くと浅野が立っていた。おどろいたが、動揺はしなかった。むしろ奇妙に冷静だったと自分では思う。

「はい」

と、こたえた。

「浅野です」

男は名乗り、

「あなたのことは、詩史がときどき話してますよ。遊んでいただいてるみたいで」

と、言った。ブルーのシャツに濃紺のジャケット、それにジーンズ。浅野は中背で、やや恰幅《かつぷく》がよかった。広告の仕事をしているときいている。

「学生さんなんでしょう？」

ええ、とこたえて、ワインを啜《すす》った。

「退屈でしょう、こんな場所は」

返事を期待した言い方ではなかったので、透は黙っていた。

「まあ、何か召しあがって下さい」

浅野は、低く艶《つや》のある声で言った。

詩史はあいかわらず遠くにいる。透などそこにいないみたいに。

なにもかも、たしかに快適とは言えなかった。三十分後、透は酒にも食べ物にも飽きて、つめたい窓ガラスにもたれている。しかし「退屈」ではなかった。「退屈」する余裕などなかった。

詩史はたのしそうにしている。

「私は私の人生が気に入ってるの」

いつだったか詩史はそんなことを言った。

「そんなに幸福っていうわけじゃないけれど、でも、幸福かどうかはそう重要なことじゃないわ」

と。

幸福かどうかは重要なことじゃない。それがどういう意味なのか、そのときの透にはわからなかったが、いまはわかるような気がする。詩史さんに与えられる不幸なら、他の幸福よりずっと価値がある。

十一時五十五分。一人ずつにシャンペンが配られた。年越しだ。音楽がとめられ、時報がわりにラジオがつけられる。人々はすでに酔っ払っている。透は母親を目で探した。のみすぎていなければいいのだが。

「元気?」

耳元でなつかしい声がした。なつかしい、そして秘密めいた——。秒読みが始まる。

「おめでとう」

あちこちで、声と、グラスの触れあう音がした。音楽が復活し、誰かが奇声を発した。

詩史は、透と最初にグラスを合わせた。ほんの一瞬だったが、それは間違いない。突然幸福に襲われ、透はシャンペンを啜るのも忘れた。二人の秘密が一つふえた。ささやかな、でも甘美な。

浅野がみんなに何か喋《しゃべ》っている。来てくれた礼とか、何かそのようなことだ。いつのまにか、詩史は浅野にぴったり寄り添って立っていた。まるで最初からそこにいたような顔で。

「おめでとう」

寄ってきてグラスを小さく持ち上げた母親に同じしぐさを返しながら、透はいましがたの幸福を、すでに見失いかけている。

5

喜美子は悪魔だ。

耕二は、自分の上に馬乗りになった女の、細いが信じられないくらいまるくすべらかな腰をみながら思った。

「いい眺め」

喜美子は耕二を見おろしながら言う。喜美子の胸は小さいが、下からみるとすこし豊かにみえる。

喜美子は悪魔だ。

「一時間ぴったりにして」

ついさっき、喜美子は耕二にそんなことを言った。それも、片手で乳房を包みながら足をからめ、耳たぶに唇で触れながら甘い言葉を吐く、という、喜美子の好きなことをしてやっている最中にだ。

耕二の上に、ゆっくりと喜美子の身体《からだ》が落ちてくる。喜美子の腰の骨が腹に触れる。

それは突出していて、温かい。

「すてき」

喜美子の声は微笑を含んでいる。ベッドで、喜美子はしばしば笑い声をたてる。それは喜美子が満足しているしるしだ。

「ほら、耕二くんは私の中に、ちょうどいっぱいいっぱい。きっちり。すばらしいわ」

髪をふって顔を上げ、喜美子は耕二をじっとみつめる。行為のあいだ、喜美子は滅多に目をつぶらない。

「どうしたらいい？」

いつものように、耕二は喘《あえ》ぐ。

「どうしたら、俺は喜美子さんをもっとよくしてあげられる？」

喜美子は悪魔だ。

こんなに奔放に愉《たの》しみながら、一時間たてばさっさと帰ってしまう。まるでいい妻みたいな顔をして。

「私はとてもいい妻よ」

いつだったか喜美子はそう言った。出会ってまだまもないころ、コーヒーが一杯八百円もするような喫茶店でだ。

「自分で言うけど、家事は完璧《かんぺき》なの」

喜美子は、派手な色のタンクトップに、ジーンズをはいていた。

「完璧？」

「旦那《だんな》は、ネクタイ一つ自分では選ばないわ。冷蔵庫から缶ビールをだすことさえしない」

「へえ、亭主関白なんだ」

耕二がからかうと、喜美子はくすくす笑った。

「そんなの関白っていわないわ。腑抜《ふぬ》けっていうのよ」

「腑抜け……」

暑い日だった。耕二はアイスコーヒーをのみ、喜美子はほとんどミルクのようにみえる、アイスティをのんでいた。

「ちがうの。悪口じゃないのよ、これ。その方がいいの」

「腑抜けの方が？」

喜美子はうなずいた。

「旦那には何もしてほしくないの」

「外で働いてくればそれでいいってやつ?」

喜美子はそれにはこたえずに、窓の外をぼんやり眺めた。

「私がいないと何もできないって、思わせとくほうがいいのよ。私がいないと困るっていうふうに。簡単なことだった。すぐ腑抜けになった。もともと腑抜けだったのかもしれない」

あのとき耕二は、喜美子の話をききながら、どういうわけか喜美子を可哀相《かわいそう》に思った。その男が実際に腑抜けかどうかはともかくとして、目の前でそんなことを言っている喜美子が哀れだった。

約束どおり一時間で事をおえ、喜美子の車でホテルをでると、耕二は恵比寿の駅前でおりた。赤いフィアット・パンダを見送って、煙草《たばこ》をくわえて火をつける。

ここのところ互いに忙しかったので、喜美子に会ったのはひと月ぶりだった。次はまたいつ会えるのかわからない。二月。よく晴れてはいるが、空気は痛いほどつめたい。

耕二が年上の女をいいと思うのには理由があった。それはたとえば透に言っているような、身体とか、同い年の女の子たちよりは金を持っていて楽なこととか、一緒に歩いていてちょっと目立つとか、将来について深刻ぶって問いつめたりしないこととかではなくて、もっと単純なことだった。

年上の女は無邪気だ。

この数年で、耕二はそう確信するに至った。実際につきあった年上の女は三人だけだが、たとえばバイト先のデパートで知りあったおばさんとか、兄の婚約者とか、近所に住む、いつも犬を連れて歩いている茶髪の人妻とか、まわりの女たちをみていればはっきりとわかった。女は年をとるにつれて無邪気になるのだ。

耕二には、これは何か決定的なことに思える。女が備える性質として、無邪気以上にいいものがあるだろうか。

厚子は、耕二が初めてつきあった年上の女だった。家庭的な女で、耕二と二人きりで会うと、いつも怯《おび》えているようにみえた。二十年ローンで買ったというルーフバルコニーつきのマンションに、夫と、娘と、三人で暮らしていた。

小柄で童顔で、娘よりずっと美人だった。美しさをほめると、うろたえながら頬を染めた。でも、厚子をいちばん喜ばせるのは料理を食べることだった。彼女は料理上手だった。夫も娘も、最近はちっとも食べてくれないのだと言っていた。

厚子とは、いつも厚子の家で抱きあった。昼間でも、夫や娘がいまにも帰宅するのではないかと耳をすませながら。

それでも、あのひとは家にばかりいたし、耕二は高校生で、他にいく場所がなかった。

厚子は自分を悪い人間だと考えていた。すくなくとも悪いことをしていると。悪い妻だと。実際は無論逆だ。彼女はいい人だった。かなしいほどいい人で、いじましく、ほとんどみじめなほどだった。

はじめ、耕二は娘の方に近づいた。放送部に所属する、そのたいして魅力的でもない同級生と友だちになり、家に何度か遊びにいった。夕食をごちそうになることもあった。

放送部の部活のある日をわざと選んで、耕二はそこに遊びにいくようになった。はじめは娘の帰りを待つふりをして、やがて娘の帰りにびくつきながら、そこで二人きりですごした。

関係は、すぐに娘にばれてしまった。娘——吉田というのだが——はヒステリックに耕二を責めた。無論、家庭内でも大騒ぎをひきおこしていた。厚子は全て《すべ》自分が悪いのだと言った。耕二くんは関係がない、と。耕二は厚子を捨てた。捨てるのはこっちだ、と決めている。厚子にとっても、その方がよかったのはわかっている。

厚子のことは、もう滅多に思いださない。つきあった時間も短かったし、耕二は高校生だった。高校時代の自分は、何だか遠いものに思える。

それでも、ふいに、あのマンションの植込みのある駐車場や暗いエントランス、エレベーターや、吉田家の玄関の匂《にお》い、ローズピンクのカーテンの質感や、大型冷蔵庫に幾つも貼《は》りつけられていたマグネット、洗面所の洗濯物入れのことなどが浮かんだ。

耕二は何一つ後悔していなかった。それなのにいったい何だって、あの日々を思い返すときにきまって気持ちに陰りがさすのだろう。

「ごめんなさい」

抱きあったあと、厚子はよく意味もなく謝った。

「あなたはほんとうはこんなところでこんなことをしているべきではないのよね」

厚子は服を着ていると年齢不詳にみえたが、服を脱ぐと年相応にみえた。四十二という年相応に。

耕二は、厚子のわずかにたるんだ二の腕や、他はすべて痩《や》せすぎて痛々しいほどなのに、そこだけうすく脂肪のついている下腹が好きだった。ほっそりした脚の、でも全体にもはや張りを失った皮膚も。

いまの自分には喜美子がいる。喜美子との関係がいつまで続くかはわからないけれど、喜美子はあのときの厚子よりも七つ若く、ずっと奔放だ。それに第一子供がいない。いまのところ、不都合は何もないのだ。

年が明けるまでは、すべて順調にすすんでいた。大学が冬休みに入ると、普段のビリヤード場でのバイトに加え、デパートの歳暮商品の出荷のバイトもしたので忙しかったが、多少金ができた。その忙しい日々のあいまをぬって、父親に車を借りて、由利ちゃんをドライブに連れていった。バイト先の連中とスキーにもいった。

大晦日《おおみそか》から正月三ヶ日までは実家で過ごし、二日には由利ちゃんを誘って、家族プラスガールフレンドで初詣《はつもうで》にいった。家族というのは父親と母親、兄と兄の婚約者と祖母だ。これは耕二の家の年中行事で、毎年鎌倉の八幡宮《はちまんぐう》にいく。その晩すき焼きを食べることも含めて、耕二が子供のころから変わらない。

ここ数年は、賽銭箱《さいせんばこ》の前で鈴を鳴らし、手を合わせるときの文句も決まっている。

今年もみてて下さい。

というのだ。耕二はこれを、胸の内でつぶやく。

「いい御両親ね」

あとから由利ちゃんはそう言った。

「うちの親は夫婦仲があまりよくないから、こういうのってうらやましいわ」

とも。

つまずいたのは、一月の半ばだ。いま思い出しても気分の悪い出来事だった。今年になってはじめてのデートで、喜美子がいきなり金をくれようとしたのだ。ホテルのベッドの中で、二人とも裸だった。

「遅れちゃったけどクリスマスプレゼント」

喜美子はそう言って、プラダの財布から三万円だした。三万円。耕二は自分でも意外なほどショックを受けた。金をくれようとすること自体にも、その中途半端《はんぱ》な金額にも。

「何だよ、それ」

ほとんどうめき声になったように思う。

「くそおもしろくもないな」

耕二の剣呑《けんのん》さに、喜美子はたちまち不安そうな顔をした。

「何で？」

耕二はベッドからおりて言った。

「何で金なんかくれるの？」

苛々《いらいら》したし、むかっ腹が立った。

「俺は喜美子さんとセックスするのが好きだよ。喜美子さんも俺の身体が好きなんだと思ってた。俺はすけべだけど、喜美子さんもすけべなんだと思ってたよ」

思いがけず強い口調になっていた。

「そんなに怒らないでよ」

ようやく、喜美子がそう言った。

「クリスマスに贈り物をもらったし、若い人にどんなものをあげていいのかわからなかったから、お金なら使えるだろうと思っただけよ」

気の強い言葉とはうらはらに、耕二の目に、喜美子はいまにも泣きだしそうにみえた。金をまだ手に持っていて、手首には、耕二がクリスマスに贈った金色のブレスレットがまきついていた。

「それだけなんだから、怒らないでよ」

「ごめん」

耕二は謝った。ベッドに戻ったが、今度は喜美子が反対側からおりてしまった。

「ごめん」

もう一度言い、喜美子を背中から抱きしめた。二人とも、しばらくそのままじっとしていた。

「いいのよ」

喜美子が言った。

「気を悪くしたのなら、私も謝るわ。ただ、たまにはお金くらいあげなきゃ悪いような気がしたのよ」

そして、金を財布に戻し、しずかに服を着始めた。

あれから一カ月がたち、きょうの喜美子はいつもどおりだった。耕二もいつもどおりに、真昼の情事を愉しんだ。でもあの不愉快な出来事と、それに動揺した自分を忘れてはいなかったし、喜美子もまた、隅々まで憶《おぼ》えているにきまっていた。たまにはお金くらいあげなきゃ悪いような気がしたのよ。

もらっておけばよかったのかもしれない。耕二はそんなふうにも思う。もらっておけば、簡単だったのかもしれない。

バイトまでまだ時間がある。煙草をすいおわり、恵比寿駅の駅前で、耕二は時間を持て余している。

「なんだ、詩史さんはいないのか」

代官山の詩史の店で、耕二は口をとがらせた。

「そう言ったじゃないか」

透は言い、苦笑してみせたが落ち着かなかった。突然耕二に電話で呼びだされ、暇だったので外にでてきた。風のつよい日だ。うちの中ではあたたかに感じたふんだんな日ざしも、おもてでは視覚的にそれとわかるだけだ。

詩史はいまヨーロッパにいっている。一年に二回、買付にいくのだ。それでも店だけでもみたい、と耕二が言い張ったのだったが、店の女の子たちの目には、自分が得々として友だちをつれてきたようにみえるのではないかと気になった。

「これ、いいな」

耕二が、三センチ四方くらいの黒い小箱を持ち上げて言った。金色の縁どりを施された蓋《ふた》の上に、小さな黒猫がのっかっている。

「来週、ばあちゃんの誕生日なんだ」

箱は釉薬《うわぐすり》をかけて焼いた陶器で、この店にあるものはみんなそうだが、いかにも高価そうにみえた。

「何だ、それ」

透が訊《き》くと、耕二は、

「小物入れだろ」

と、こたえた。

「小物って?」

あんなに小さな箱に一体何を入れるのか、透には見当もつかなかった。

「知らねえよ。いいんだよ、何でも。女はこういうものが好きなんだから」

ばあちゃんと女を結びつけて考えられる耕二に、透は妙に感心してしまう。

店の中はいい匂いがした。石けんのような、他人の家のような、新品のシャツをおろしたときのような匂い。詩史の店は、タオルやリネンの類《たぐい》が充実している。

耕二はその小物入れを買った。その決断のはやさに、透はまた感心する。

「時間、まだいいか?」

レシートを受けとりながら耕二が訊いた。

「昼飯食ってないんだ。腹へっちゃってさ」

それで、『ボエーム』にいった。

スパゲティ・ナポリタンをほおばりながら、耕二はさっきからずっと、喜美子について話している。おなじだ、と、透は思う。吉田の母親と妙なことになったときも、耕二は吉田の母親の話ばかりしていた。熱くなりやすいタイプなのだ。つきあっている女について話したがる気持ちは、しかし透にはよくわからない。

耕二によれば、喜美子は、「悪魔のように蠱惑的《こわく》」であるらしい。吉田の母親のことは、「不幸な女神みたいに底なしにやさしい」と言っていた。恋をすれば犬も詩人だ。

「でも、つまずいた」

皿から顔を上げ、耕二が言った。

「つまずいた？」

唇についた油とケチャップを紙ナプキンで拭《ぬぐ》い、耕二は真顔でうなずく。

「ちょっと前に、急に金くれようとしてさ」

「金？　それって、援交じゃん」

たいした考えもなくそうつぶやいて、内心にわかに後悔した。耕二は沈んだ顔をしている。自分の気を引き立たせようとでもするように、

「ま、悪気じゃないんだよな」

などと言う。

「悪気って?」

耕二は返答につまった。

「お前、詩史さんに金もらったことある?」

「ないよ」

むっとして、否定した。

「じゃあ、物は? 着るものとか買ってもらったりとか」

それはあった。

「普段会うときのめし代とかホテル代とかさ、そういうのは、だって詩史さんがだすんだろ?」

耕二は重ねてそうも訊いた。

「ホテルにはいかないよ」

透はこたえたが、質問に対する否定ではなかった。

「おんなじことなんだよな」

透にというより自分に言うように、耕二はそうつぶやいた。そうつぶやいておきながら、すぐにまた、

「でもなあ」

と、言う。

「でもなあ、金はなあ、またちょっと違うよなあ」

「どうやって?」

単純な好奇心から、透は訊いた。

「どうやって金をくれようとしたんだ?」

耕二は黙り、それから、

「言えない」

と、言った。ややあって、

「ひでえだろ?」

と言うので、透は、

「ひでえ」

と、こたえた。そんなことをする女と、耕二が一体どうしてつきあっているのか理解できなかった。

「別れればいいじゃないか」

以前から思っていたことを言うと、耕二は間髪を入れず、

「なんで?」

と、訊いた。

「由利ちゃんがいるんだし」

実際には、それはどうでもいいことのように思えたが、透はなんとなくそう言った。

「由利ちゃんは知らないんだろ？　お前に他にも好きなひとがいるとか」

耕二はあきれ顔をした。

「知るわけないだろ。すべて話すのが誠意だとか思ってるわけか？」

「そうじゃないけどさ」

耕二はにやりとし、

「じゃあ詩史さんの旦那《だんな》はどうなんだよ。お前とのことを知ってるっていうのか？」

と言う。知ってるかもしれない、と、思った。知っているような気がした。

「いや」

曖昧《あいまい》にこたえながら、透は、大晦日、詩史に寄り添われて立っていた男を思いだした。

「透くんかな」

そう言って話しかけてきた男を。

「退屈でしょう、こんな場所は」

いやな感じだった。中年太りをし始めていたし、笑顔もいやらしく思えた。

「つたくなあ……」

ぼやいたのは耕二だったが、透は自分がそれを口にだしてしまったかと、胸の内であわてた。

6

昼間の東京タワーは、地味でやさしいおじさんのようだ。小学校にいくみちみち、いつも透はそう思っていた。地味でやさしい、堅実で安心な。

小学生のころ、透は毎日半ずぼんをはかされていた。冬でもずっとだ。いま考えると意味のない習慣だが、あのころは、そういうものだと思っていた。

透は大人しい子供だった。図工と理科と社会が得意で、いずれ科学者になりたいと思っていた。母親はにべもなく、科学者は無理だろうけれど医者ならばなれるはずだ、と言ったりした。あの日々。女の子は別の動物のようだったし、いつも数人でかたまっている彼女たちと、仲よくなりたいと思ったこともなかった。

中学もおなじようなものだった。高校に入ってようやく、男も女も一人ずつ独立したものとして透の目の前に立ち現れたのだったが、そのころにはもうなんとなく、教室で他の皆からすこし離れた場所に、馴染《なじ》むでもなく孤立するでもなく存在する術《すべ》を、身につけてしまっていた。

透は窓の前に立ち、曇り日の、昼間の東京タワーをみながらインスタントコーヒーを啜《すす》っている。

「窓の外をみるのはいいけど、ガラスに手やおでこをくっつけるのはやめなさい」

子供のころ、母親によくそう言って叱《しか》られた。磨くのが大変なんだから、と。いまは無論そんなことはない。窓ガラスと自分の身体《からだ》とのあいだの適度な距離を、自分はどうやっておぼえたのだったろう。

いつも結局ここにいるのだ。友達と外で遊ぶより、ここにいる方が好きだった。学校にいくよりも、ここにいる方が気楽だった。ここから連れだしてくれるひとを、どこかでずっと待っていたのかもしれない、と、思う。自分をここから連れだしてくれるひと——。

しばらく詩史さんと会っていない。

詩史さんは平気なのだろう。透は考える。詩史さんには仕事があるし、友達も多いらしくて社交にも忙しい。おまけに家庭。四十歳の女の日常のなかで、友人の息子に会えないことが一体何だというのだろう。

「陽子さんとはもう十年来のお友達なのに」

いつだったか詩史さんはそう言った。

「それなのに、あなたのことは知らなかった。損したわ」

それは、とても詩史らしい物言いだった。直截《ちょくせつ》で、甘く、軽い。

でも、それは正しくない、と、透は思う。損をしたのは詩史ではない。だってそうではないか、十年前の自分が詩史にとって魅力的であったとは考えられないが、十年前の詩史は――。

透はそれ以上考えることができずにため息をつく。三十歳の詩史、二十歳の詩史、十五歳の詩史。独身の、そして少女の。

透には、それはひどく不当なことに思える。認めがたく不当な、心底淋《さび》しいことに。時間。

まったくいまいましいことに、時間の前には手も足もでないのだった。


「もういい加減にすれば？」

カラオケボックスの合成革張りの長椅子《ながいす》に腰掛けて、焼きそばと肉団子とジャムヨーグルトをたいらげた橋本が言った。

「むなしいだろ、一人で歌うのは」

耕二は曲名リストを繰る手を止め、顔を上げた。

「だからお前を呼んだんじゃん」

どうせ暇なんだからつきあえよ、と言いながら、リモコンで尾崎豊をセットする。

「お前も歌えよ」

たいした熱意も込めずに言い添えた。

「食ってばっかりいねえでさ」

カラオケは嫌いではなかった。由利ちゃんには「やけ上手《うま》い」と言われるし、自分でも「けっこう泣かせる」と思っている。でもきょうは、喉《のど》を披露しにきたわけではなかった。

「まいるよなあ、ったく」

喜美子と、また口論をした。口論になると、喜美子はいきなりヒステリックに声をとがらせて、耕二の痛いところを容赦なくつく。

「女ってなんであああ感情的になるのかね」

困るのは、自分のどの一言が喜美子をおこらせるのか、耕二にはそれを実際に口にだすまでわからないということだ。

「感情的にさせるからだろ」

橋本が言った。尾崎豊はとっくに始まっていたが、耕二はなんだか歌う気も失《う》せて、長椅子にどさりと凭《もた》れかかる。

口論のきっかけは、ルールだった。喜美子の車の助手席で缶入りコーラをのみながら、恋愛で大切なのはルールだ、と、耕二が言ったことがそもそものはじまりだった。

「ルール？」

訊《き》き返した喜美子にはまだ余裕があった。細い眉《まゆ》をひゅうっと持ち上げて、

「耕二くんにそんなものあるの？」

と言った喜美子の口調には、からかうような響きがあった。

「あるさ」

耕二はこたえた。車の中は暖房がガンガンにきいていて、換気のためにほんのすこしあけた窓から、つめたい風が具合いよく流れ込んでいた。

「金は受けとらないとか」

耕二の言葉に、喜美子がむっとしたのがわかった。あそこでやめておけばよかったのだ、と、いまになれば思う。

「ほかには？」

しかし喜美子に訊かれ、耕二は口をすべらせた。

「子供のいる女には手をださないとか」

数秒の不自然な沈黙のあと、

「子供のいない女ならいいと思ってるの?」

と言った喜美子の声は、おそろしくかたかった。

「私は都合がよかったっていうわけね」

違うよ、と言ったが、もう耳に入らないようだった。

「ふざけないでよ」

喜美子は自分の言葉に自分で興奮してしまうのだ。

「ほら喜美子さん前みて運転しなよ、あぶないよ」

おこらせるつもりはなかったので、耕二はうろたえながらなだめた。でも喜美子は聞いちゃいないのだった。

「ルール?　なによ、それ」

喜美子は何度もそう言った。ふざけないでよ、なによ、それ。

やがて車を端にとめ、切羽つまった声色で、

「もういやよ、こんなの」

と言ったのだった。

横浜にいた。ハンドバッグの「お直し」ができたから取りにいきたい、という喜美

子につきあって、午後の授業をさぼってのドライブだった。

「おこらないでよ、違うんだから、おこらないでよ」

喜美子は返事をしなかった。もうとまっている車の中で、いつまでもハンドルに両手をかけた姿勢でじっとしていた。はりつめた横顔は、怒りと失望に歪《ゆが》んでいた。

「突然くるからなあ」

耕二は橋本にぼやいた。結局、喜美子を車からおろして喫茶店につれていき、お茶をのませてなだめるのに一時間もかかった。散々だ。おまけに、耕二の胸の内側には、怒りと失望にいたいたしく歪んだ喜美子の横顔が、しっかりはりついてしまった。

ひさしぶりのデートは、またピアノだった。皮膚が切れそうに寒い日で、昼前から降り始めた雪が、夕方には足首まで積もっていた。

「雪は嫌いよ」

待ち合わせ場所のホテルのバーで、グラスシャンペンをのみながら、詩史は顔をしかめた。

「嫌いなの?」

透は雪が好きだ。街が、いっぺんで普段と違う表情になる。踏み固められた雪をさらに踏むときの、靴裏のつぷつぷ沈む感覚もいい。

「街の雪は嫌い。あなた好きなの？」

信じられない、という顔で訊き返し、詩史は小さなバッグから煙草《たばこ》をとりだして火をつけた。コートの下は肩をだしたドレスだ。詩史は滅多におもてを歩かない。暖房のきいた室内から室内へ移動するだけだ。

「だって、溶けるとき汚くて侘《わび》しいじゃない？」

そんなことを言った。

仕事の退《ひ》ける時間だというのに、バーに他の客は一組しかいない。やはり天気のせいだろうか、と、透はぼんやり思った。あわただしい人の往《ゆ》き来《き》はあるが、落ち着いてのみものを愉《たの》しむという感じなのは詩史くらいだ。ディズニーランドのそばのコンサートホールは小さいが美しく、そこに隣接するホテルもまた、小さいが感じのいいしつらえだった。

ディズニーランドには、四、五回来たことがある。小学生のころに、すでに別れていた両親と一度、中学生のころに一度、あとは耕二と、当時耕二のつきあっていた女の子たちと来た。

それは、いまの透にはひどく遠いことに思える。一体何がたのしくて、あんな場所に何度も行ったのだったろう。

「アムランはね、ある種の天才だと思う」

正体のわからないペーストの塗られた、小さな温かなパンのかけらを口に入れ、詩史は言った。

「何度か会ったことがあるの。普段はとてもおおらかで無邪気なひとでね、図体《ずうたい》ばっかり大きくなった子供みたいで」

詩史はゆっくり言葉を選ぶ。

「それがひとたびピアノに向かうと」

そこで言葉を切り、まるでそのピアノがいま流れているかのように黙った。

透は、自分がまた身体じゅう音楽でいっぱいにされるのだと知っていた。でもそれは、そのピアニストが天才だからではなくて、詩史さんと一緒に聴くからだ。詩史さんに聴かされるからと言ってもいい。

「なんていうか、とても数学的な演奏をするひとなの」

うっとりと、詩史は言った。

「雪って大好き」

駅に続く道を歩きながら、はしゃいだ声で由利は言った。

「寒いから、いつもより余計にくっつけるでしょう?」

ダウンジャケットを着た耕二の腕に、ぎゅうぎゅうしがみつきながら歩く。

「ひとみちゃんの彼氏は雪が降ると眠くなるんだって。一日中寝ていて、学校にもいかないらしいよ」

寒さで鼻を赤くして、たのしそうにそう言った。こいつはどうしてこういつもいつもたのしそうなんだろう。耕二は不思議な気持ちで考える。授業がおわってからバイトにいくまでの、短い時間にアパートで抱きあって、それから駅まで歩いていくあいだじゅう、ひっきりなしに喋《しゃべ》っている。

「あー、お腹《なか》すいたね」

お腹がすいた、ということさえ嬉《うれ》しそうだ。

「グラタンパン食べたいな」

耕二は由利とけんかをしたことがない。由利は喜美子のように突如キレたりしないし、由利の機嫌をとるのは、耕二には簡単なことに思える。それはやすらかなことだった。券売機で由利に切符を買ってやり、自分は定期をだして改札を通る。

あたりはすでに暗くなっていて、プラットフォームの蛍光灯のあかりが、傘のつくる水たまりを黒々と照らしだしている。のぼりの電車はすいている時間だ。

耕二は、自分が目の前に立っている中年のおばさんの後ろ姿を、なんとなくじっとみつめていることに気づいた。そういうことが、最近、よくある。どんなおばさんでも、一応女にみえるのだ。病気かもしれない、と思う。

「だからね、耕二くんも今度うちの学校の学食に来てみて。絶対わかんないよ」

由利は熱心に喋っている。

喜美子さんと別れればいいじゃないか。このあいだ透はそう言った。事もなげに。信じられない無神経さだ、と、耕二は思う。透は賢いが、ひどく鈍感なところがある、と。

アナウンスに続き、角ばった電車がすべりこんでくる。

「みて！　まっ白！」

電車に積もった雪をみて、由利がまた歓声をあげた。

ピアニストは、たしかに育ちすぎた子供のようにみえた。詩史さんによればまだ三十代らしいが、はげかかっていて、少々太りすぎてもいる。「数学的な演奏」についてはよくわからなかったが、人間の指とは思えない速さと強さで鍵盤《けんばん》をたたく演奏家だ、ということはわかった。

詩史と音楽を聴くとき、透は自分が空洞だったことがわかる。自分は音楽になどさして興味はないのに、自分の身体《からだ》が音楽をひどく欲していた、と感じる。すると詩史とピアニストは結託して、透のその空洞を美しい音でみたす。

アンコールが終わり、会場に電気がついても、透はしばらくすわっていた。詩史が先に立ち上がり、透の手をひっぱって立たせた。

「おもしろかったわね」

やや興奮した口調でそう言った。

「彼の演奏を聴くとエネルギーが湧《わ》くわ」

と。

おもてにでると、雪はまだひどく降りしきっていた。一ひら一ひらが小さく、強い風と共に、ふきつけるように落ちてくる。

「ああ、気持ちいい」

詩史は言い、手に持っていたコートを着た。

「ホールの中、ちょっと暑かったわね」

京葉線が不通になっている、という貼《は》り紙の貼られた立て看板をみても、透は気にしなかった。どっちみち、詩史はいつもタクシーに乗る。隣接するホテルのタクシー乗り場は長蛇の列だった。しかもタクシーは一台もいない。詩史はほんのすこし眉《まゆ》をひそめた。

「これだから街の雪は嫌よ」

携帯電話をとりだして、直接タクシー会社に電話をかける。透はそばに木偶《でく》のようにつっ立って、いっこうに止《や》む気配のない雪をみていた。これだけ降りしきっていても、街の雪は水っぽい匂《にお》いがする、と思う。その匂いが、しかし透は嫌いではない。

「役に立たないったら」

詩史は言い、携帯電話をポケットにしまった。車は当分つかまらないらしい。透は嬉しかった。

「並んどく？」

行列のうしろに向かいかけると、詩史はおどろいたように、

「冗談じゃないわ」

と言う。

「中に入りましょう。凍えちゃうわ」

それで、再びバーに入った。今度は、バーの中は人口密度が高かった。帰れなくな

った人間たちが、腰を落ち着けたり時間をつぶしたりしている。

詩史はウォッカを、透はバーボンのオンザロックを注文した。

「何か食べる?」

透は首を横にふった。腹は減っていなかった。それよりも、当分ここに詩史と閉じ込められているのだ、という状況に高揚した。たまたまおなじ場所に居合わせた、他の客たちにまで親しみを感じる。おもしろくなりそうな夜だ。

「陽子さんに電話しとく?」

詩史が遠慮がちに尋ね、透はやや興がそがれた。

「いいよ、べつに」

磨き込まれたカウンターに、頬杖《ほおづえ》をついた。

「きれいな指」

微笑を含んだ声で、詩史は言った。

「どきっとしちゃうわ」

ウォッカを一口啜《すす》り、おいしい、とつぶやく。店の中は暖かく、騒々しい。ただ、その騒々しさは会話の一つずつが聞こえるような類《たぐい》のものではなくて、店全体で一つの騒音をかもしだしているような、悠長で穏やかなものだった。

「煙草、一本もらってもいい？」

透は言った。煙草は、高校生のころに一時期喫《す》っていた。とくにうまいものでもなかったし、なんとなくやめたが、ふいに喫ってみたくなった。

「どうぞ」

さしだされ、一本ぬきとった途端に後悔した。持ち方がぎこちなくないかと気になったのだ。もっとも詩史は気にもとめていないようで、身体をねじって店の奥を見やり、

「お部屋、あいてるのかしら」

と、言った。お部屋。透は、自分でも思いがけないほどその言葉に動揺した。

詩史と、朝まで一緒にいたことは一度もない。肉体関係はあっても、それは夜の果てのごく短い時間のできごとで、そのためになんだかいつも現実離れしていた。

「こういうとき、年をとったなって思うの」

グラスを揺すりながら、詩史は言った。

「え？」

透には、脈絡がうまくのみこめなかった。

「こんなふうに予定が狂うことを、若いころにはもっとたのしめたような気がする」

透はそれについて考えをめぐらす。若いころにはたのしめた、ということは、いまはたのしめない、ということだ。いまは歓迎できない、という——。

「アムラン、帰れたかしら」

透はバーボンの氷に指で触れ、

「たぶん」

と、こたえた。目の前のグラスやカウンターが、にわかに輪郭をはっきりさせたように思えた。現実を思い知らされたように。

「でも」

変な接続詞かもしれない、と思いながら、透はおずおずと言った。

「でも、詩史さんには帰ってほしくない」

もっと強い語尾を使えなかったことに、すこし腹が立った。

膝《ひざ》に、詩史の手のひらが触れた。それはやさしく透の腿《もも》をすべり、ふいにひっこめられてしまう。

「あなたのそういうところ、大好きよ」

透とまっすぐに目をあわせて言った。そして、両方から同時にそうした、と透にも確信できた自然さで、ゆっくりと唇が合わさった。丁寧に、大切そうに。

放したくない、と自分が切実に望んでいるのとおなじだけ、詩史も望んでいるとわかった。この瞬間が永遠につづけばいい、と自分が念じているのとおなじだけ、詩史も念じているとわかった。そのようなキスだった。

「雪、まだ降っているかしら」

ようやく唇を放すと、詩史は言った。そう望んでいるような言い方にきこえた。

「みてこようか？」

スツールから降りた透の手の先に、詩史は指をからめた。

「待って。一緒にいくわ」

大人についていきたがる子供のような素直さで、そう言った。財布から金をだしてカウンターに置く。携帯電話が鳴ったのは、そのときだった。

「はい」

小さな声で、詩史は応じた。夫からだと、すぐにわかった。

「バーにいるから大丈夫」

大丈夫、という言葉を、詩史は何度かくり返した。

「すばらしかったわ。やっぱり天才だと思う。アンコールでラフマニノフを弾いたの」

ええ、そう、と、詩史は言った。

「透くんと一緒だから大丈夫」

ややあって、詩史が、

「いいの?」

と訊《き》いたとき、透には、夫が迎えに来るのだとわかった。

「ここはほんとに大丈夫なのよ。じきに車もつかまるでしょうし」

詩史は言ったが、透は、夫は迎えに来るに違いないと思った。詩史が遠慮をすればするほど迎えに来るに違いない、と。

「じゃあ待ってるわ。気をつけてね」

電話を切った詩史の顔を、透はみたくなかった。

7

六月に結婚する兄が結納《ゆいのう》をする、というので、耕二は一日バイトを休む羽目になった。結納といっても金だの昆布だのをやりとりする古式床しいやつではなくて、ざっくばらんに両家揃《そろ》って食事だけ、ということだったのだが、母親は尋常ならざる勢いで料理しまくり、耕二がいままで見たことのない、何もかも揃いの食器がテーブルに並んだ。先方からの樽酒《たるざけ》が昼のうちに宅配便で届いており、夕方からそれを飲んで男たちはいい加減酔っ払っているというのに、父親は食事のときにシャトー・マルゴーをあけた。

兄の婚約者は、兄と同じ大学病院に勤めている。医者同士だ。ブスで口が大きいが、気持ちのいい女だと、耕二も思う。飲みっぷりもいい。

「新婚旅行、ほんとうにいいの？」

母親が訊いた。ちょうど、ステーキを一切れ口に入れたところだった早紀《さき》――というのが耕二の義姉になる女の名前なのだが――はナプキンで口元をぬぐい、

「はい」

と言って、にっこり笑う。

「旅行には、いつでもいかれますから」

二人とも現在仕事が忙しく、旅行にいく暇がないのだそうだ。

「隆志《たかし》くんは、いまどんな論文を書いているのかな」

早紀の父親が尋ねた。化粧品会社の重役だというこの父親が、兄の論文にどの程度興味があるのかは疑問だが、生真面目《きまじめ》な兄は長々と説明を始める。

「お野菜、もっといかが？」

バターで香りをつけた温かなにんじんと絹さや、それにブラウンマッシュルームを、母親が半強制的に早紀の皿に盛った。

いつか自分もここに誰かを連れてくるのだ。耕二は思い、「お式」や「新居」の話を聞くともなく聞きながら、いまベランダにでて煙草《たばこ》を喫ったらまずいだろうか、と、考えていた。

八つ年上の兄とは、兄が高校に入った頃からあまり近い関係じゃなかった。仲は悪くないのだが、自分と兄とは元々あまり似ていないのだ、と、耕二は思う。耕二の目に、兄は昔から我が強くなさすぎるように映る。やさしすぎるように。年がはなれているとはいえ、兄弟げんかの記憶がまるでないのだ。子供のころから、兄は玩具《おもちゃ》でもおやつでも、耕二が頼めば何でも貸して――あるいは譲って――くれた。耕二に貸せば、壊されることは目にみえていても。

「次は耕二さんの御就職ですね」

早紀の母親にいきなり水を向けられ、耕二はへらへらと笑った。ええまあ、はい、と。長い夜だ。

場所を居間に移してケーキを食べた。約束事らしくアルバムがひらかれ、「やんちゃな弟」のエピソードが語られるたびに、耕二はその役まわりにふさわしく、照れ笑いをしたり言い訳をならべたりした。

祖母が一足はやく寝室にひきとったあとも一行は帰るそぶりをみせなかった。兄とその婚約者より、父親同士が座を長びかせているようにみえた。酒のせいなのかもしれない。早紀の父親は小柄で、整った顔立ちをしていた。母親があとから言った言葉を借りれば「ロシア人顔」で、そう言われてみればそんなふうにみえないこともないのだが、どことなく女性的な顔立ちもしぐさも、腕力自慢でごつごつと背が高く、ゴルフ灼《や》けした耕二の父親とは、いかにも対照的だった。

あなたそろそろ失礼しないと、と、早紀の母親に促され、家族三人が立ち上がったのは十一時をまわった頃だった。そのあとさらに、御迷惑かもしれないじゃないか、と父親が止めるのもきかず、母親が自分の若い頃に使っていたカメオのブローチを、うちは女の子がいないから、という訳のわからない理由をつけて早紀に贈るという一幕があり、耕二はかなり、げんなりした。

そして、ようやく玄関に見送りにでたとき、早紀の父親がいきなり深々と頭を下げた。

「不束《ふつつか》な娘ですが、どうかよろしくお願いします」

それはことさら目新しいセリフではなかったし、無論耕二に向けられた言葉ではなかったのだが、耕二はぎょっとした。三和土《たたき》に立ち、三人揃って頭を下げているのだ。まるで、自分たち家族が早紀をひきとるかのような気がした。両親の元から、すっぽり。

「こちらこそ、どうか」

耕二の両親も頭を下げた。兄も、両親も、ついでに耕二も。でもそれは、なんというか、あとの祭のようだった。

「ふうん。結納ねえ」

例によってそそくさと、余韻もなく服を身につけながら、由利は言った。

「いいお家の人はいまでもそういうのやってるんだねえ」

いいお家ってこともないけどさ、とつぶやいて、耕二は煙草に火をつける。

「いいお家だよ、いまどき結納するなんて」

ベッドは、途中まではいだベッドカヴァーが、まだちゃんとかかっている程度にしか乱れていない。

「ね、ね、」

耕二は、すでに下着を二つ身につけてしまった由利に手をのばした。

「もうちょっと裸でいてよ」

長いままの煙草を、灰皿でもみ消す。部屋の中は、西日が弱くさしこんでいる。

「どうして?」

「もっと見たいよ。もっと触りたいし」

由利は首をかしげ、すこし考えて、ジーパンをはいた。

「どうしても着ちゃうの?」

「着る」

はっきりとこたえ、黒いタートルネックセーターと、グレイのソックスをてきぱきと身につける。

「どうして？」

「恥かしいもの」

即答だった。つじつまの合わないことだったが、耕二はそれが気に入った。毅然《きぜん》としている。由利の、こういうところが好きなのだと思う。

喜美子とは、いつもぎりぎりまで裸で過ごす。邪魔者。耕二と喜美子は、互いの衣服をそう呼んでいる。ひさしぶりに会い、やっとはがした邪魔者を、どうして急いで身につける必要があるだろう。

「でも」

短い髪を手で整えながら、由利が言った。

「でも、私だったらカメオはちょっといやだな。なんとなく怖いもん、母の贈り物って」

悪気のない発言なのはわかったが、耕二はわずかにむっとした。

グレアム・グリーンの『情事の終り』は、詩史が「透くんくらいの頃」に読み、読む前と読んだ後とで、「何もかも違ってしまった」小説らしい。

透はおとといそれを読み終えた。三月。長い春休みに、これといってすることもなく、透は、以前から読みたかった本を読んで過ごしている。本が好きなことは、詩史との、ほとんど唯一《ゆいいつ》の共通項だ。クラシック音楽もビリー・ジョエルも、透は詩史の影響で聴き始めた。四冊の写真集も。

詩史は、小さくて美しい部屋のようだ、と、透はときどき考える。その部屋は居心地がよすぎて、自分はそこからでられないのだ、と。

家の中は静かだ。透の他に誰もいない。午前中にまわした洗濯機ももう止まっている。透は、もう何年も、自分のものは自分で洗っている。母親に任せておくとためてしまうからだ。着たいときに着たいものがない、ということが、子供の時分にはよくあった。

風呂場《ふろば》にいき、ドラム式の洗濯乾燥機から洗いたての衣類をとりだす。ふんわりと温かく、清潔な匂《にお》いのする衣類を。

先週透は二十歳になった。誕生日は、しかしいつもとおなじ一日だった。本を読み、昼寝をし、思いたって部屋の掃除をした。父親から電話がかかり、何か欲しいものはないかと訊かれたが、とくにないとこたえた。翌朝になって母親にもおなじことを訊かれたが、おなじようにこたえた。二十歳。法的に成人ではあるが、これといって感慨も湧《わ》かない。

それよりも、透は詩史に会いたかった。街の雪は嫌い。決して下品にならないやり方で顔をしかめて、そんなことを言った詩史に。

あの日、詩史の夫は透を家まで送り届けてくれた。雪はもうやんでいて、透は車の後部座席の窓から、ところどころすでに除雪されて汚れた雪の固まりをみていた。高速道路のフェンスの跡切《とぎ》れ目からみえるネオンが、やけにけばけばしかったことを憶《おぼ》えている。

道の悪さにもかかわらず、車は安定した走り方をした。車の中は暖かく、シートはモスグリーンの革張りで、ゆったりとしていた。

助手席の詩史はほとんど口をきかなかったが、あのホールじゃ空席ができちゃっただろ、とか、アムランには花くらいだしたの、とか、夫に訊かれれば機嫌よくこたえていた。

「透くんはどんなピアノが好きなの？」

ミラーごしに詩史の夫にそう尋ねられ、透は返事につまった。

「どんなものでも」

他に言いようもなくて、そうこたえた。

夫婦は、透にはわからない話もした。来週誰それに会うことになった、とか、私も行った方がいい？　とか。

深夜だった。道路はすいていて、でもなかなか家に着かなかった。音楽も、バーの喧噪《けんそう》もバーボンも、幻のように消えていた。

暮れにバイトをしたデパートに、耕二は再び雇われている。前回同様倉庫の出荷係だが、今度は「経験者」なので時給が少し高い。それでいて暮れに較《くら》べると仕事は断然楽なので、春休みのバイトの一つとして、耕二は手堅くこなしている。主任とも顔馴染《かおなじみ》になっていたし、他のバイトたちも前回と違って少数精鋭で、働きやすかった。

歳暮時期の怒濤《どとう》の出荷とは違うとはいえ、春には春で、通常の配送品に加えて布団《ふとん》だの食器だのの「新生活用品」や、入学祝いや節句の人形といった「子供用品」、土や肥料やプランターといった「ガーデニング用品」など、まあそれなりにいろいろあるのだった。

耕二の仕事は単なる出荷——指定の倉庫から商品をだしてきて積み上げる——で梱《こん》

包《ぼう》はしないのだが、それでもどういうわけか、一日でおそろしく手が荒れる。傷や汚れだけではなく、皮膚そのものが荒れるのだ。「労働者の手っていう感じ」だと由利は言う。それを嫌がっているふうでもないのだが、小さなくまの形の爪洗いブラシを、プレゼントだと言って寄越したりした。

由利とは、最近ときどき早朝にテニスをする。由利の通っているテニススクールが、午前七時から九時のあいだに限り、馬鹿《ばか》高い料金を払っている会員以外の人間に、解放されているのだ。

耕二はテニスを習ったこともなく、遊びでつきあうだけだが、テニス歴三年目の由利に負けることはない。

ビリヤード場での夜の仕事も続けている。いつか身体《からだ》壊すぞ、と橋本は言うが、壊したら壊したときのことだ、と、耕二は思っている。可能性で物事を心配すれば、きりがない。

「暮れも、来てたよね」

背の高い、河童《かっぱ》みたいな顔の男に話しかけられたとき、耕二は倉庫の前の廊下に立っていた。休憩時間だった。喫煙所で一服し、それから喜美子に電話しようと思っていた。喜美子には当分会えそうもないが、声だけでもききたかったのだ。

「学生？」

河童みたいな男が訊《き》いた。名札をみると、山本、と、なっている。トレーナーに、だぶだぶのナイロンパンツ。

「喫煙所でしょ？」

山本は言い、自分でもポケットから撚《よ》れたマイルドセブンのパックをとりだして、先に立って歩いた。


「お祝いをしましょう。お誕生日だったでしょう？」

詩史からそんな電話がかかったのは、誕生日から二週間が過ぎた夕方だった。

「あしたの夜はどう？　どこかいきたいお店はある？」

透は、この二週間が自分と詩史の距離なのだと思った。現実だと。

「どこでもいいよ」

透はこたえた。

「詩史さんに会えればどこでもいい」

と。

詩史は一瞬沈黙し、それからあっさりと、

「じゃあ、あしたの夕方また電話するわ」

と、言ったのだった。

それで、透はまた電話を待っている。ふんだんに日のあたるリビングで。三時前だというのに。

待つ、というのは不思議なことだ。母親が置きっぱなしにした婦人雑誌をぱらぱら眺めながら、透は考える。待つのは苦しいが、待っていない時間よりずっと幸福だ。詩史につながった時間。ここに詩史はいないのに、自分は詩史に包まれていると感じる。支配されている、と言うべきかもしれない。持ち重りのする婦人雑誌には、桜の名所とシステム・キッチン、それに様々な果実酒が特集されていた。

『フラニー』の大きくて重い扉をあける瞬間、透はいつも緊張し、同時に爆発的に高揚する。それはほんとうに一瞬のことなので、傍目《はため》にはわからないこと（のはず）なのだが、毎回透は確かにその爆発に直面し、戸惑い慌《あわ》てるのだった。

詩史はまだ来ていなかった。カウンター席に腰掛けて、透はジン・トニックを注文した。店内は暗く、ごく低いヴォリウムで音楽が流れている。ローズマリー・クルーニーとかテックス・ベネケとか、すごく古めかしいやつだ。

一杯目を飲みおえたころ、詩史はやってきた。

「ごめんなさい。出がけに知り合いが来ちゃって」

ジャケットを脱いで店員に渡し、スツールに腰掛ける。

「お店から来たの？」

そう、と言って一つ小さく深呼吸すると、詩史は透をじっとみつめた。

「会いたかったわ」

感情を込めて言う。でもそのすぐあとに、

「ああ、喉《のど》かわいた」

と言った声にもやっぱりとても感情が込められていて、透は軽い失望を味わう。

詩史の鼻は小さい。鼻すじが通っている、という感じではなくて、控え目な、彫塑《ちょうそ》でつくるなら一度つまむだけで十分という感じのかたちだ。透はそれを好きだと思った。

「どうしてた？　日々の話をして」

運ばれたウォッカ・トニックを一口啜《すす》り、詩史はそう言った。

「これといって何もないけど」

こういうとき、詩史に話せる何かが自分にもあればいいのに、と、透は思う。仕事とか、忙しい大学生活とか。

「『情事の終り』を読んだ」

よく磨かれたカウンターの上の、グラスとコースターをみながら言った。

「どうだった？」

「……おもしろかったけど」

「けど？」

「たぶん、よくわからなかったんだと思う」

詩史は首をかしげた。透ははやくもっと説明しなくてはいけないという気がして、

「途中まではわかる気がしてたんだけど、最後まで読んだらわからなくなった」

と、言った。詩史はまだ怪訝《けげん》そうな顔をしている。

「だめ。もっと説明して。何が、途中までわかって、最後にわからなくなったの？」

詩史の言葉は好奇心と興味のように響く。透はその小説について思いだそうと努めた。詩史はおとなしく待っている。

「主人公の恋人の気持ちが」

ついにこたえをみつけて口にだすと、詩史はおどろいたように眉《まゆ》をもちあげた。

「予想もしないこたえだったわ」

詩史は言い、一人で微笑《ほほえ》んで、それからなぜか両目をとじた。

「でもその通りね」

目をあけて透をみて、

「人の気持ちなんてわからないのよ。私はそのことに違和感さえ持たなかったけど」

と、言った。透には、詩史が何にそう感激しているのか見当もつかなかった。小説は、最後がひどく不満だった。それだけだった。

「でもね、私はあの小説の、主人公の恋人がすごく好きよ」

詩史は最後にそう言った。

『フラニー』のあと、六本木のレストランにいった。初めての店だったが、詩史の名前で予約がしてあった。

テーブルにつき、シャンペンが運ばれると、詩史は透に、お誕生日おめでとう、と、言った。詩史にそう言われるのは三度目だった。十八の誕生日のあとと、十九の誕生日のあと、そして今夜だ。

レストランは広く、洒落《しやれ》たつくりだった。メニューには、何料理だか判然としないものばかりがならんでいた。たらば蟹《がに》と野菜の生春巻とか、オマール海老《えび》の汁で蒸した赤米のリゾットとか。

「ちょっとスノッブだけど味はいいの」

注文をおえると、詩史は言った。

「夜中じゅうやってるし」

透には、しかしそれはどうでもいいことだった。目の前に詩史がいる。大事なのはそのことだけだった。

ここに来るタクシーの中で、詩史は携帯電話のスイッチを切った。透はそれを見逃さなかったし、この前の出来事で、詩史が学習してくれたのだったら嬉《うれ》しいと思った。

料理はたしかにどれもおいしかった。いつものように、詩史の選ぶ店にまちがいはないのだ。

「あのとき」

煮込まれた肉をナイフで切りながら、透はあれからずっと思っていたことを言った。

「あのとき、残念だったな、家に帰れちゃって」

詩史は何も言わなかった。微笑んで、料理を口に入れ、ワインを一口啜った。さらにややあってから、

「残念なんてものじゃなかったわ」

そう言って、透をたちまち幸福で揺さぶった。

きょうは詩史さんを送ったあと、部屋まで入れてもらえる日だろうか、タクシーにおし込まれる日だろうか。

透は、酔いのまわり始めた頭で、そんなことを考えていた。

8

はじめて詩史と寝たときのことは、よく憶《おぼ》えていない。透は十七歳だった。外で食事をして酒をのみ、詩史の家でコーヒーをのんだ。

「どうぞ」

寝室のドアをあけて、詩史がそう言ったことを憶えている。透は、それはそういう意味だと思ったし、次の行動は自分が起こさなければならないと思った。それで、そうした。抱きしめてキスをし、ベッドにおし倒したのだ。乱暴だったかもしれない。でもなにしろ経験のないことだったし、自分がやらなければならない、と感じていた。

おし倒されたとき、詩史は小さく声をもらした。おどろいたようだった。二人とも服を着たままだったが、透はもう十分いきり立っていて、最終的にはこれを挿入しなければならない、と、考えていた。

憶えているのはそこまでだ。あとの記憶は断片的で、詩史が途中で、

「大丈夫よ」

と言ったこととか、ともかく最後まで事をおえた、ということしか憶えていない。

「すくなくとも私に関して、あなたは何かをしなければならないとか、してはならないとか、思う必要はないのよ」

すべてのあと、詩史はそんなことを言った。

いま、透はあの夜とおなじベッドに仰向《あおむ》けになり、部屋の隅のフロアランプのぼんやりしたあかりと、まるく落ちる影をみつめている。

詩史とのセックスはいつもあっというまだ。他に経験がないので断言はできないが、透は、たぶん詩史も自分も、こういうことにそう熱心な質《たち》ではないのだろうと思っていた。自分がそれまで未経験だったことは、たぶんわかられてしまったと思うが、しかし詩史は何かを「教え」てくれたり、「リード」してくれたりしたことはない。一度もだ。

透は、となりに横たわっている詩史の上に、ぴったり重なってくっついてみる。やわらかい、小さい身体《からだ》の感触と体温を味わう。顔をずらして枕《まくら》に埋《うず》める。

「こうすると重い？」

「いいえ」

詩史はしずかな声でこたえた。

「いい気持ちよ」

幸福そうに息をすって言ったので、透の下で、身体が小さく上下した。

行為のとき、詩史は「乱れ」たり「声をあげ」たりしたことがない。いつもとても柔軟に、透をうけいれてくれた。詩史の身体は白く、小さい。そして、かたちのいい目で透をじっとみつめる。そういうとき、透は自分が試されているような気がして困惑し、困惑することがいやでがむしゃらに動いてしまったりする。

もしいま浅野が入ってきたらどうなるのだろう。透は、この部屋にいるとき必ずそう考える。でもそれは怯《おび》える感じではなくて、あり得ないことを空想する感じだ。詩史がそんな危険をおかすとは思えなかった。そうなればいいのに、と、思うことさえあった。でも、どうでもよかった。詩史といるとき、その外の世界はまるで異質なものだった。

二週間遅れの誕生日。

「二十歳《はたち》のころ、なにしてた?」

透は尋ねた。この部屋はジャスミン茶みたいな匂《にお》いがする。

「忘れちゃったわ。学生だった」

詩史は言い、身体を起こして髪をかきあげた。

「あんまりまじめな学生じゃなかった。本ばかり読んでた。いまよりずっとたくさん、お酒をのんでいた」

想像しようとしたが、上手《うま》くいかなかった。

「恋人はいた？」

透が訊《き》くと、詩史はあっさり、ええ、と、こたえる。それから、透の耳にはたのしそうにさえきこえる声で、

「知ってる？」

と、言った。

「知ってる？　でも私はあなたの未来に嫉妬《しっと》してるのよ」

透は、やるせなさと怒りが同時に湧《わ》きあがるのを感じた。怒りの方が、わずかに勝っていたように思う。詩史を強引に抱きよせた。

「なんでそんなことを言うの？　つじつまが合わないよ。それならずっといてくれればいいじゃないか。なんでそんなことを言うのかわからないよ」

数秒間、どちらもそのままの姿勢でいた。

「苦しいわ」

詩史が言い、透はあわてて力を抜いた。随分強い力でおおいかぶさっていたことに

気づく。

詩史は両腕を上げ、透の髪に指をすべらせて、一房ずつ空気を入れるような仕草をした。

「信じてくれなくてもかまわないけれど、私はあなたが大好きよ」

ごくわずかに目を細めてそう言った。

「自分でも信じられないわ」

わけのわからないかなしみに塞《ふさ》がれて、透は返事ができなかった。

新学期が始まるとすぐに、耕二から電話がかかった。夜で、透は一人の夕食をおえたところだった。子供のころは母方の祖母が料理をしに来てくれていたが、中学に入学した年にその祖母が亡《な》くなって、以来夕食はたいてい一人だった。

合コンの面子《めんつ》が一人足りない、と、耕二は言った。窓の外には東京タワーが、小さく、でもあかるくみえている。

「合コン？　お前、ほんとに見境がないな」

それは無論ほめたわけではなかったが、ある種の敬意は込もってしまった。

「俺？　ちがうよ、ボランティア。合コンったって由利が一緒なんだから、俺には開拓の余地ねえもん」

まわりが騒がしく、耕二の声はききとりにくかった。球を突く音がしている。

「じゃあ何のためにするんだよ」

合コンというものに、透は二度参加したことがある。二度とも、すこしも楽しくなかった。

「学生の基本だろ?」

耕二はこたえた。

「とにかく今度の金曜な。切るぞ。悪い、いまあんまりゆっくり喋《しゃべ》れないんだ」

そして、ほんとうに電話を切ってしまった。

「見て見て、あのひとかっこいいの」

電話を切った耕二の腕を、由利がひっぱった。バイト先に来ると、由利ははしゃぐ傾向にある。

「さっきから、すっごい上手なの」

それは、最近よく来るカップルの客だった。女の方は若いが、男は中年だ。たしかに胸のすくようなキューさばきだった。

「うん」

耕二は認めた。

「すごく上手いと思うよ」

球を読む姿勢と視線だけで、それはわかった。しかも、年季の入ったビリヤードおやじという感じではなく、たぶん単に運動神経がよく、加えて動作の一つ一つが極端に正確なのだという風にみえた。それは基本だった。小手先の技術ではなく、理論と運動能力の持つ力だ。そして、耕二の好きな類《たぐい》のビリヤードだった。

カウンターに入り、グラスを磨きながら遠目にみていた。連れの女の方はあまり上手くない。背の高い女だ。由利よりも若くみえた。ばさばさのショートヘアを、ところどころ緑色に染めている。

「透くん、来られるって?」

カウンターに頰杖《ほおづえ》をつき、レモネードをのみながら由利が訊いた。

「WHY NOT?」

英語でこたえ、耕二はこっそりキスチョコをだしてやる。

目ざましがわりにタイマーでセットしたステレオの、ビリー・ジョエルをききながら、透はぼんやり天井をみている。朝。ブラインドは下りたままだが、雨の気配がする。

枕元にはケッセルの『ライオン』が、読みさしのまま置いてある。『ライオン』も、詩史が好きだと言った本だ。

透にとって、世界は詩史を中心に構成されている。

起きて着替え、台所でインスタントコーヒーをいれた。詩史に会えるあてもない一日に、一体なんだって起きなくてはならないのかわからなかったけれど。

玄関には昨夜おそく帰った母親の、紐《ひも》で結ぶかたちの靴——母親にはめずらしくマニッシュなものだ——が脱ぎすてられていた。

透の母親は、今年四十八になる。外見に気を配っているので年齢のわりには見ぐるしくない部類だと思うが、酒のみだし挙措動作ががさつなので、おばさんというよりおじさんめいている、と、透は思う。

「仕事をしているときの陽子さんはね、きびきびしていてほんとうに素敵よ」

いつだったか、詩史はそう言った。

「たのしそうなの。それは私の知っている限り、仕事を持つ日本の女のひとのなかで、とても珍しい美質だわ」

と。

外にでるのが好きなひとなのだ、と、透は思う。パンを焼き、バターと卵の黄身を塗りつけた。

居間のソファで朝食をとりながら、透は、受験志望校を決めるとき、耕二に真顔で説教をされたことを思いだした。

「私立？　何で？」

夏で、高校のそばのコンビニで、ならんで雑誌を立ち読みしていた。

「国立行くだろ、普通」

耕二があの日、制服のワイシャツの下に黒いTシャツを着ていたことまで憶えている。

「なんで？」

透は説教も親切も苦手だ。

「偏差値足りてるんだしさ、お前んとこ母子家庭じゃん。すこしは気を使えよ」

「お前んとこは母子家庭じゃないのに、お前国立志望じゃないか」

変な反論だと自分でも思った。

「親に余計な金使わせたくないじゃん」

ヤングジャンプをぱたりと閉じて、耕二は店の外にでた。晴れた、暑い日だった。耕二には、そういう生真面目《きまじめ》なところがあった。金持ちの息子のくせに、ひどくまっとうな、健全で家族おもいのところが。

でも、と、正直なところ透は思う。でも、他人に干渉したがるのはあいつの悪い癖だ、と。

部屋の中はしずかだ。食器を洗い、本の続きを読むべく自室にひきあげる。きょうは二つ授業にでなければならない。雨は一日降りつづきそうだ。母親は当分起きてこないだろう。

赤いフィアット・パンダのダッシュボードには、白い小さいぬいぐるみが置いてある。さっき耕二がゲームセンターでとってやったものだ。電池が内蔵されていて、しっぽの下の紐をひっぱると、ぶるぶる体を震わせる。

喜美子は機嫌がいい。雨の外堀通りをとばしながら、オシュウトメサンの話をしている。

「私、彼女とは仲がいいの。そりゃあ鬱陶《うっとう》しいこともあるけどね、きのうは一緒にお買物にいったの。ドルガバのシャツを買ってもらっちゃった。すごくきれいなシャツだったの」

　シャツはガーゼみたいな生地でできており、極彩色の蝶《ちょう》や花がプリントされているそうだ。喜美子はそれを、夏の羽織りモノとして使う予定だと言う。

「それで、午後の授業は何時って言った?」

「二時四十分」

　耕二はこたえたが、それは嘘《うそ》だった。三年生になって、授業の数はぐっと減らした。

「じゃああと二時間もないわね」

　もうすぐ十二時だ。大学までの距離を考えるとそういう計算になる。そういう計算にした、と言うべきなのだった。

「昼めしはドライブスルーにしよう」

　耕二は提案した。

「そうすればゆっくりできるしさ」

　両手でハンドルを持ったまま——大きくて骨ばっていることがコンプレックスだという喜美子の手には、金色の指輪が数個、ごたごたとはめられている——、喜美子は耕二に顔をつきだす。耕二は唇を軽くあわせた。あぶないしみっともない、と、内心呆《あき》れながら。

事をすませ、大学まで送るという喜美子の申し出を断って、耕二はＪＲに乗った。三時に由利と、待ち合わせている。

そういうわけで、六時にコンパ会場についたときには、耕二は疲労と空腹で奇妙にハイテンションだった。店には、デパートで知りあった山本と、透、それに橋本が雁《がん》首《くび》を揃《そろ》えてビールをのんでおり、由利の友達三人は、三人一緒に二十分遅れてやってきた。彼女たちが現れるまで、由利は心配そうにしていた。

透は、この時点からすでに居心地が悪そうだった。来たことを、後悔しているに違いなかった。

河童《かっぱ》顔の山本は期待がありありで、そわそわしていた。だぶだぶのナイロンパンツはおなじだが、バイトのときのトレーナーよりは多少こぎれいな、白衿《しろえり》のラガーシャツを着ている。

橋本は、どこにいてもそうなのだが、第三者のような顔をしてすわっていた。

由利は橋本にだけ会ったことがある。きょうは透に会えるのをたのしみにしていた。

耕二はビールを二つ注文し、料理も先にだしてもらうことにした。

やがて、女の子たちが入ってきた。三人とも、まずまずの容姿だった。ともかく可《か》愛《わい》い子を、と、由利に言いきかせてはおいたのだ。コンパが盛り上がるかどうかは女の子の容姿にかかっている、と、耕二は思う。出会いとか相性とかの問題ではない。相手が可愛いと、男たちは自然にはりきって盛り上がってしまう。大事なのはそれだった。

由利と耕二が、三人をそれぞれ紹介した。乾杯をし、ぎくしゃくした数時間に突入した。

結果的に言って、コンパは失敗だったと耕二も思う。全然盛り上がらなかったし、女の子は誰一人、電話番号を教えそうもなかった。店をでると雨がまだびしょびしょ降っていて、耕二は幹事的疲労にあきあきしていた。それで二次会はやめることにした。

「ちょっと飲み直そうぜ」

透に耳うちをし、あとは駅までぞろぞろと歩いて、中途半端《はんぱ》に解散した。

「よかったのか？　由利ちゃん」

残りの連中を全部改札の中におしこみ、二人きりになると透が訊《き》いた。

「いいに決まってるだろ」

きょうは昼間、互いにじゅうぶん時間をさいた。

「それよりなんか、悪かったな、きょう、盛り上がらなくて」

「いいよ」

透は苦笑する。

「こういうのひさしぶりだったし、由利ちゃんや、〝おもしろい奴の橋本〟に会えたし」

それからややあって、かわいいじゃん、由利ちゃん、と、つけたした。

たしかに由利は悪くない。このごろ、耕二は以前にもましてそう思う。聡明《そうめい》なのだ。素直だし。由利といると、耕二は物事が単純に感じられる。

「店、どっか知ってる?」

透に訊かれ、耕二は「テキトー」とこたえて、先に立って雑踏を歩いた。センター街のネオンの方へ。

たとえ耕二に誘われたとしても、自分なら詩史を先に帰すことはできない。

歩きながら、透はそんなことを考えていた。絶対にできない。それはたぶん、耕二に知られたら顰蹙《ひんしゅく》を買うことではあるのだろうが、透には、この世の、ほかのどんなことも、詩史といる時間には比べるべくもないのだ。

透はコンパのあいだじゅう、詩史に会いたい、とばかり考えていた。ちょっとつまんだ程度の、小さな鼻をした詩史、居間の観音像そっくりの、しなやかな腕をした詩史、そして、しずかな声で、「信じてくれなくてもかまわないけれど、私はあなたが大好きよ」と、透に言った詩史に。

いますぐ詩史さんに会いたい。

傘をさして歩く耕二の背中をみながら、透は苦しくそう思う。詩史以外の何一つとして、透を幸福にはできないのだった。

9

耕二は料理が嫌いではない。だらしなく寝そべった恰好《かっこう》でテレビをみている橋本に、豚肉と野菜の炒《いた》めものをつくってやりながら、

「お前、ちゃんと食ってるのか？」

と、訊いた。

「うん」

橋本はテレビをみたまま生返事をしてから首をねじって耕二に顔を向け、

「母親みたいなことを言うんだな」

と、言った。皿と箸《はし》をテーブルに置き、でかける仕度をする。

「お前、まだいる？」

いる、とこたえた橋本に鍵《かぎ》を放って、耕二は窓のカーテンを閉めた。それから部屋の電気をつける。夕方、電気をつける瞬間が、耕二は昔から嫌いだ。

「じゃ、俺、いくぞ」

玄関をあけ、おもてに一歩でた瞬間に、住宅地特有の湿った匂《にお》いが鼻についた。昔、厚子の家からそそくさと帰るときに、いつもこんな匂いがしていた。捨てるのはこっちだ、と、決めている。耕二はそのとおりにしたし、厚子のためにもそれでよかったのだと思っている。

それなのになぜ、こういうとき、淋《さび》しさに似たうしろめたさを感じてしまうのだろう。

このあいだの合コンのあとで、透と二人きりで飲んだ。透は元気がないようにみえた。もともと騒ぐタイプではないが、普段にもまして口数が少なかったように思う。

高校時代の友人は――そう親しくなかった奴《やつ》も含めて――、大学に入って出会った友人と、あきらかに違うと耕二は思う。いまならば見せずにすむものを、隠しきれなかったというような。いやおうなく日々一緒にいたような。

ガキだったのだと耕二は思う。そして、そのぶん、説明のつかないちかしさを、どこかで抱えてしまっている。

「やさしそうなひとね」

透について、由利はあとからそう感想を述べた。

「高校時代は合唱部だったっていう感じ」

はずれだった。透はどのクラブにも所属していなかった。放課後は、耕二が誘わない限りまっすぐ帰っているようだった。もっとも最後の一年は、詩史と待ちあわせてでかけることも多いらしかったが。展覧会だの音楽会だのバーだのに、制服のまま出入りしているようだった。

あのころの透について憶えていることは、小食で、昼はいつも学食のパン二つとサラダだったことと、休み時間に本を読んでいたこと、耕二の好きだったエアロ・スミスを、どこがいいのかわからない、と言ったことだ。それからあのマンション。母親と二人暮らしの、やけにきちんと片づいた——。

透には、どこか危ないところがある、と、耕二は思う。ああいう大人びた奴に限って、いつまでも子供なのだ、と。

透は、三杯目の白ワインで、すでに酔いを自覚し始めていた。

八時に約束があるという詩史は、隣で低くハミングをしている。この店で流れる曲は、すべて、詩史にとって「なつかしい曲」であるらしい。

「次は AS TEARS GO BY をかけて」

カウンターの奥の線の細いマスターに、たのしそうに注文したりしている。

「もうすこし早く生れてきてくれていたらよかったのに」

グラスを揺らし、ワインの表面に小波《さざなみ》をたてながら詩史は言った。

「私にとってこの曲がとても特別だったころ、あなたも一緒にこれを聴いてくれていたらよかったのに」

透が返事をできずにいると、詩史は自分で会話にケリをつけるように、

「ときどきね、ときどきそんなふうに思うの」

と、言って微笑《ほほえ》んだ。白いシャツにグレイのパンツという服装の詩史は、スツールの上で、なんだか小さく頼りなげにみえる。衝動的に、透は片手を詩史の背中にあてた。それは、しかし、結果として、衝動的というにはあまりにも遠慮がちな動作になってしまった。

シャツごしに、詩史の背骨の感触が伝わる。このひとがもし去ってしまったら、死ぬかもしれない、と、思った。

「もうすこし、そのままにしていて」

詩史が言った。

「手を、そこに置いていて」

透はそうした。

店をでると、すこしだけ歩いて、透は詩史をタクシーに乗せた。歩いているあいだ、詩史はずっと、透の手に指をからませていた。浅野と歩くときも、このひとはこうするのだろうか。透は思ったが、訊くことはできなかった。

「約束、浅野さんと？」

かわりにそう訊いた。詩史はあっさりとうなずき、

「結婚してよかったと思うことの一つは、一緒に食事をする相手がいるということだわ」

と、言った。透は苦笑した。地団太を踏んで泣きだすかわりにそうしたのだった。

「いま、釘《くぎ》をさしたの？」

酔っ払ってしまった、と、思った。はやくうちに帰って、ベッドに倒れ込みたかった。

「いいえ」

詩史は微笑み、タクシーがドアをあけた。

「事実を述べたのよ」

唇ではなく頰をつける挨拶《あいさつ》をして、詩史は走り去ってしまった。

うちに帰ると、めずらしく母親がいた。

台所で水をのんでいると、やってきて、

「おかえりなさい」

と言った。やりとりは普通だった。ごはんは？　いらない。よかった、野菜くず一つないのよ。いつものことじゃん。まあね、でも冷凍食品くらいはあるでしょ、いつもは。それもないの？　しばらく買物にいってないから。

母親はまだ外出着のままで、話しながら流し台の奥の窓をあけ、煙草《たばこ》をすった。どこにいってたの、とは訊かれなかったのに、透にはなんとなく、詩史と会っていたことを母親が知っているような気がした。

「風呂《ふろ》、先に入ってもいい？」

どうぞ、とこたえた母親の視線を、透は居心地悪く感じた。

「まだまがってますね」

空のグラスをさげながら、耕二は言った。

「キューをひくとき、右にふくらませちゃう癖があるんだな」

女はミニスカートをはいている。ところどころ緑に染めた、ばさばさのショートヘア。もう二時間も、一人で球を突いている。

「どこが悪いかわかる?」

通りがかりにそう声をかけられ、まだすいている店内で、耕二はなんとなくアドヴァイスをしてやる破目になったのだった。

「こう?」

「もうすこし」

キューのエンドを動かしてやる。

「そう、そのまままっすぐに突けばいい。先の球は見ずに、突く球の中心だけを狙《ねら》って」

高く強い音と共に、女が球を突いた。球は計算通りに二度方向を変え、右中央のポケットに落ちた。

見た? というように振り向いた女は、美人ではないが好ましい顔をしていた。目も口も大きく、表情の豊かな顔だ。もっと違う化粧をすればいいのに、と、耕二は思った。まぶたにのせた、ブルーとシルバーの粉はともかく、頬骨のあたりに貼《は》りつけた、小さな星型のシールは軽薄だ、と。

「ナイス・ショット」

ほめてやると、女は嬉《うれ》しそうに笑った。

「あのひとに教わればいいのに」

耕二は言ってみた。

「上手《うま》いひとと一緒に来てるでしょ、いつも」

女はさっきとはあきらかに別の、溶けそうに幸福な笑顔をみせた。

「かっこいいでしょ、あのひと」

それから球の配置を元に戻して、再び練習を始めた。

「コーチしてくれてありがとう」

耕二の背中に、そう声をかけて。


六月になるとしばらく、晴れた、夏のように暑い日が続いた。耕二は夏が好きだ。

電話が鳴ったとき、耕二は由利とベッドにいた。

「耕二くん?」

喜美子だった。

「うちにいたのね」

はい、と、こたえた。汗ばんだ背中に、由利がぺたりと身を寄せている。

「会える？」

「いまですか？」

ええ、と、喜美子は言った。

「いまはちょっと」

喜美子とは、あした会うことになっている。

「そう、じゃあ仕方ないわね」

声に、失意というより怒りをにじませて言う。

「何かあったんですか？」

喜美子には、普段からまめに電話を入れている。こういう電話がかからないためにそうしているというのに。

「何かなくてはだめなの？」

耕二は黙った。由利の手前、黙るよりなかった。それに、こうなるともう何を言っても無駄なことがわかっていた。

「耕二くんがつめたいひとだっていうことを、どうして私はいつも忘れちゃうのかしら」

喜美子は、そう言ってため息をついた。

「それに、どうせあした会うんだものね」

百本も棘《とげ》を含んだ声をだす。

「予定外の電話をかけたりして悪かったわ」

受話器を耳にあてたまま、耕二は煙草を一本くわえた。喜美子はそのまま電話を切った。

「誰？」

仰向《あおむ》けになり、煙を吐いて、由利の問いに、

「店長」

と、こたえた。あした、機嫌をとるのが大変だぞと思いながら。

女は、いったいどうしてこう身勝手なのだろう。人にはそれぞれ個別の事情があるということを、まるで無視して生きているのだ。ガキでもわかることなのに。等々力《とどろき》の、喜美子のフランス語の教室の近くのガラスばりのカフェテラスで、耕二はしかし、そんな気持ちはおくびにもださずに前日の電話について謝った。

「ほんとはすぐにでもいきたかったよ」

喜美子は、不機嫌な顔でアイスティをのんでいる。

「だから、もういいっていってるでしょう」

よくないよ、と、耕二は言った。店内は寒いほど冷房がきいている。

「もう機嫌なおしてよ」

喜美子は返事をしなかった。しばらく沈黙したあとで、

「会いたかったのよ」

と、言った。

「急に会いたくなることってあるでしょう？　きょう会えるってわかっていても、きょうじゃなくきのう会いたかったの」

それからやや間をおいて、

「会いたいときに会えない男なんて最低」

と、吐き捨てるのだった。

耕二は思わず天を仰いだ。

「あのね、よく考えて物を言いなよ。会いたいときに会えないのは喜美子さんの方でしょ。家庭があるのは俺じゃなくて喜美子さんの方なんだから」

喜美子は般若《はんにゃ》の形相になった。

「よく平気でそんなことが言えるわね」

いくつも指輪をはめた両手が、テーブルの上でひろげられている。

「気持ちなんて理屈どおりにはいかないものでしょう? 結局耕二くんは私に興味がないのよ。だからそんなことを言えるんだわ」

まったく理屈に合わないことなのだが、喜美子の痛々しい見幕は、ときとして耕二を揺さぶる。うんざりしていい場面だと頭では思うのに、腕が喜美子を抱きしめたがるのだ。

「いいから」

耕二は言い、立ち上がって伝票をつかんだ。般若の形相の喜美子が、それでもおとなしくついてくることを知っていた。ここから先は、どんなに言葉を重ねても、あなたが欲しい、あなたと寝たい、という意味でしかないのだ。

店をでるやいなや、耕二は喜美子に乱暴に口づけた。それに応《こた》えるように、喜美子も耕二の髪をつかんで唇をひらいた。欲望が高まっていて、互いに相手もそうだとひしひしとわかるために、空気自体がにわかに高揚してゆくのだった。欲望と欲望が反応しあうのだ。胸をまさぐろうとした耕二の手を、喜美子が辛うじておしとどめた。

階段は、二人とも小走りでおりた。日ざしは真上から降りそそいでいる。車に乗り、エンジンをかけ、『大和』というホテルに滑り込むまでに、五分とかかりはしなかった。

透が由利と再会したのは、耕二の兄の結婚した夜だった。二人とも披露宴には招かれなかったが、どういうわけか二次会に招かれた。ビルの上の、床の回転する展望レストランで、人数も把握できないくらい混雑した、騒がしいパーティだった。医者同士の結婚で、病院の関係者と、医大時代の友人が中心の集まりであるようだった。

耕二はダブルのスーツを着ていた。金持ちの息子然としている、と、透の思う類《たぐい》の服装だった。兄とはそう仲のいい兄弟じゃないくせに、兄の友人たちには随分かわいがられているようなのが、耕二らしいといえば耕二らしいことだった。

由利も透も他に知り合いがなく、ワンピースとスーツという不慣れな恰好《かっこう》のまま、所在なく端に立っていた。

窓から東京が見渡せる。夥《おびただ》しい数のネオンのまたたき、黒々と沈む皇居の緑。そしてその手前には、ガラスに室内の様子が映りこんでいる。マイクの扱いのおそろしく下手な、司会者の声がとぎれとぎれにきこえる。

「きれいね」

外をみながら、隣で由利が言った。

「透くんはずっと東京？」

うん、とこたえてから、由利ちゃんは？　と、訊《き》いた。由利は笑った。

「静岡。コンパのときそう言ったのに、透くん会話に参加してなかったのね」

清潔な感じの子だ、と、思った。そういえばあの日は、よく見もしなかった。

「高校生のころの耕二くんって、どんなふうだった？」

それがまるで遥《はる》か昔のことであるかのように、由利が尋ねた。

「あのまんまだよ。強引で、短気で」

たまに酒をのむとものすごく強くて、とつけたすと、由利はたのしそうに笑った。

「いいな、透くんはそのころの耕二くんのそばにいられて」

透は返答につまった。

「いいな」

由利はもう一度言った。

「やんちゃな弟」らしく水割りをがぶ飲みして騒ぎながら、耕二は両親のことが気になった。兄はずっと実家に住んでいた。いまごろは、年よりだけの家の中で、夫婦で晩酌でもしているのだろう。

兄はいつもと変わらぬ様子でただそこにおり、早紀は花嫁というより同窓会の主役として、忙《せわ》しげにあちこち動きまわっている。

それにしても、と、ほとんど医者ばかりの兄の友人たちを眺めながら耕二は考える。それにしても、まだ三十そこそこだというのに、みんなカだってあんなにオヤジなのだろう。この場をみる限り、医者というのはデブ率とハゲ率の高い職業だとしか思えない。

耕二にとって、オヤジになることは罪悪だった。

ふいに、結納《ゆいのう》の夜、玄関で頭を下げた早紀の父親の姿が思いだされた。不束《ふつつか》な娘ですが、どうかよろしくお願いします。あのときの、圧倒的なかなしみは何だったのだろう。

たとえば喜美子も、あるいは厚子も、あんなふうにして嫁いだのだろうか。

料理のテーブルにデザートが運び込まれて、耕二は由利の姿を探す。探しながら、喜美子の身体《からだ》がよみがえってしまった。

喜美子。

喜美子は悪魔だ。等々力での、あのあとの数時間を思いだしながら耕二は考える。

あれは絶対身体に悪かった、と思うような、つまりそれは情事だった。部屋には無論エアコンがあったが、それをつけることさえ思いつかなかった。衣服を脱がせあうこともせず、二人とも自分で脱いだ。言葉をもてあそぶ余裕もなかった。息がきれ、汗まみれになりながら、ひたすら身体を貪《むさぼ》りあった。

「結局、耕二くんは私に興味がないのよ」

そんなことを言った喜美子。自分の不自由は棚に上げて、不当な目にあったとでも言うように耕二を責めた。

「会いたかったのよ。急に会いたくなることってあるでしょう?」

窓際《まどぎわ》で透と話している由利に、デザートの皿を手に近づいていきながら、耕二は息苦しくため息をつく。

10

「この下着、耕二くんのために買ったのよ」

ひまわりみたいに真黄色のブラジャーとショーツをつけた喜美子は、唇とそのまわりを桃の汁でべたべたにして、幸福そうに笑いながら耕二におおいかぶさってくる。

真昼。

「汁がたれるよ」

耕二は喜美子の手首をつかんだ。喜美子の手には、ほとんど種だけになった桃が握られている。まとわりつくような、甘い匂《にお》いがたちこめていた。

喜美子はかまわず耕二の唇をすう。耕二は反対の手首もつかんだ。両手を封じられた喜美子は、喉《のど》の奥で笑い声をもらしながら手をふりほどこうともがき、もがきながらも唇ははなそうとしないのだった。

耕二は、果物の味のするその唇をうけとめながら、足をかけて体勢を逆転しようとした。喜美子はその都度足をからめかえて抵抗する。力の強い女だ、と、耕二は感心した。

笑い声ともうなり声ともつかない声をたてて、ついにくずれ落ちた喜美子を抱きしめながら、耕二は自分もくすくす笑っていることに気づく。黄色いショーツに指をかけてひきずりおろす。骨の突起した、細い腰があらわになった。

乱暴にひきよせると、喜美子はさらなる笑い声をたてながら、耕二の額といいまぶたといい頭のてっぺんといい、そこらじゅうにキスをして、ショーツの残りを、足を使って器用に脱いだ。

自分でも信じられないことだったのだが、耕二はもう我慢できないという気になって、その日三度目になる行為におよんだ。

「俺、だめかも」

すべてのあと、枕《まくら》も夏掛けも床に落ちてしまったベッドに仰向《あおむ》けになり、耕二はつぶやいた。窓から弱い風が入ったが、汗をかわかすにはまるで足りない。

「野獣かも」

「知らなかったの?」

隣で、おなじように仰向けになった喜美子が言った。片手を耕二の腹の上にのせている。その重みを、耕二は愛《いと》おしいと思った。

「ほんとに俺、だめかも」

アパートに喜美子を連れてきたのははじめてだった。どうしても耕二くんの部屋がみたい、と言って、喜美子が譲らなかったからだ。このごろ、喜美子は「どうしても」を連発する。どうしてもいま会いたい、とか、どうしても声がききたかった、とか。

「ここ、お風呂《ふろ》はあるの？」

ブラジャーをつけたままだった喜美子は、汗に濡《ぬ》れたそれをはずし、裸で立ち上がる。

「そっち」

風呂場を指で示しながら、耕二は喜美子の裸体に見とれた。

「ほんと、きれいだよね」

ややあって、喜美子は微笑《ほほえ》み、ありがと、と言って、耕二の額に口をつけた。

「加齢や重力と、日々戦っているのよ」

シャワー借りるわね、と言って喜美子が風呂場に入ったあとになって、ようやく、耕二は加齢の意味をのみこんだ。重力はすぐにわかったが、カレイというのが何のことだか、音からは想像できなかったのだ。

「ねえ、見て。あのひとほんとうに恰好いいよねえ」

夜。由利はカウンターでレモネードをのみながら、身体《からだ》をねじって例の客をみている。

「音が違うから見なくてもわかっちゃうの。あのひとが打ったって」

その通りだった。

「前田さんっていうんだって、あのひと」

教えてやると、由利は目をまるくした。ストローをくわえたまま、

「なんで知ってるの？」

と、訊く。

「よく来るお客さんだから」

耕二はこたえたが、実際は和美《かずみ》にきいたのだ。和美は前田の連れている女で、半月ほど前から、ときどき一人で練習に来る。高校三年生だと言っていた。

「どういうひとなのかなあ」

由利はなおも前田を見ていた。

「さあ」

耕二は、無論前田より和美に興味がある。

「由ー利ーちゃん」

しかし、由利が他の男に目を奪われているのはおもしろくなかった。

ふりむいた由利に、人差指をたててみせる。

「そんな視線を送らない。目の前の男を見なさい」

由利は可笑《おか》しそうに笑うと、ばーかみたい、と、言った。


毎年のことだが、夏休みになると、透は暇を持て余してしまう。子供のころは、それでも模型を組みたてたりパズルを解いたり、一人で熱中できる暇つぶしがあったのだけれど、と、ジョニ・ミッチェルを聴きながら考えて、苦笑した。それよりもさらに子供のころは、ベランダに置いたビニールプールに水をはってもらい、そこでいつまでも遊んでいられた。いま思いだすとばかげたことだが、あのちっぽけなビニールプールに、浮輪だのゴーグルだのシュノーケルだの、果ては足ヒレまで持ち込んで遊んだ。

ビニールプールを使えるのは、父親のいる日に限られていた。水をはったり抜いたりする手間を、母親が億劫《おっくう》がったせいだった。そのぶん父親ははりきって、透の水遊びに手を貸した。

子供のころ——。

透は不思議な気持ちで考える。あのころは、一人があたりまえだった。一人でも平気だった。何と強靭《きょうじん》で鈍感だったことだろう。

ジョニ・ミッチェルは、このあいだ西麻布《にしあざぶ》のバーで初めて聴いた。詩史がリクエストしたのだ。

ジョニ・ミッチェル、キャロル・キング、CCR、エルトン・ジョン、そしてローリング・ストーンズ。透には、聴きおぼえのない曲ばかりだった。

詩史はどうしているだろう。電話をしてみようか、と、考える。つきあいだして三年になるというのに、透はいまだに、堂々と電話をかけることができない。

かまわないのよ、いつでも電話をしてくれて。詩史はこともなげにそう言うのだけれど。

六畳間には、机が一つ、ベッドが一つ、本箱が一つ置かれている。ベッドの両脇《りょうわき》にアンプ。それでいっぱいだ。小さなクロゼットは壁に埋まるかたちでつくりつけになっていて、衣類はすべて、そこに収まっている。透は、身のまわりのものは少い方がいいと思っている。わかりやすい方が安心だからだ。

本箱から写真集を一冊ぬきとる。詩史の店で最近みつけ、気に入って買ったものだ。

「いい趣味だわ」

詩史はレジで、そう言った。

やっぱり電話をしてみよう。ふいに心を決め、透はリビングにいく。自分の部屋に電話がない、と言うとたいていの友人がおどろくが、母親が滅多に家にいないので、この家ではそれで不自由はないのだった。

電話は、しかしつながらなかった。五回呼びだし音が鳴ったあと、ただいま、電話にでることができません、と、女の声が流れた。

隔りが明白になる。詩史は届かない場所にいるのだ。逡巡《しゅんじゅん》して電話をかけたことを恥じながら、透は自室にひきかえす。そしてまた、時間を持て余すのだった。

最悪の夏休みになる、ということに、耕二はまだ気がついていなかった。

そろそろ就職活動をしなくてはと考え、そりゃあOB訪問の一つ二つはするつもりでいるが、それよりももっと効率のいい方法を、無論自分が選ぶことも知っていた。

「あーあ、こんなところで野郎の顔ばっか見ててもなあ」

騒々しい居酒屋のテーブルで、山本がぼやいた。

「じゃあ女のとこにでも行けよ」

不機嫌に言い、耕二は山本をにらんだ。悪い奴《やつ》ではないのだが、軟弱すぎると耕二は思う。行動力というものがないのだ。

「俺は野郎の顔でもいいぜ」

橋本がにやにやしながら言い、大きなジョッキに入ったグレープフルーツサワーを飲む。

「それも気味悪いけどな」

耕二はそうこたえたが、耕二自身、男と飲むのも気に入っていた。とくにきょうのような日には。

きょうの喜美子は機嫌が悪かった。

はじめはよかったのだ。恵比寿のヨガ教室に迎えにいくと、ぼろいビルの階段をおりてきた喜美子は嬉《うれ》しそうな笑顔をみせ、首に腕をまきつけてきたし、天気もよかった。太陽が照りつけるなか、すぐにラブホテルにいった。喜美子は週末に旦那《だんな》とゴルフ旅行にいったとかで、車のなかでそんな話をした。ホテルの部屋に入ったころから、徐々に機嫌をそこね始めたのだ。

「彼女のことをきかせて」

そんなことを言った。

「彼女?」

「いるのって訊いたら、いるってこたえたでしょう? 随分前に」

憶《おぼ》えていなかった。それでそうこたえた。

「そんなこと言ったかな」

と。由利のことだったかもしれないし、その前の、プールの監視員をして出会った子のことだったかもしれない。あるいはただの嘘《うそ》だったのかも。すくなくとも、喜美子と出会ったとき、耕二は誰ともつきあっていなかった。

「いいじゃない、いてあたりまえなんだから」

喜美子はしつこかった。

「いないよ、誰も」

耕二はとりあえずそう言ってみた。喜美子さんだけだよ、と。

シャツのボタンをはずしてやり、胸に唇を這《は》わせた。喜美子はされるままになっていた。

ベッドに入っても、喜美子は身動きをしなかった。じっと天井をにらんでいる。

「何すねてるの？」

いい加減うんざりしたが、耕二は甘い声をだしてみた。喜美子はやおら起きあがり、服を拾って着始めてしまった。マジかよ、と、思った。

「ねえ」

呼んでも返事をしなかった。耕二はため息をつき、仕方がないので自分も服を拾った。喜美子がキレたのは、その瞬間だった。ふりむいた顔はおそろしくかなしげで、

「結局、耕二くんは私に興味がないのよ」

と、得意のセリフを吐き捨てた。

「あるよ」

あるから服脱いでんじゃないか、と、胸の内でつぶやく。

「何怒ってんだかわからないよ」

しばらく無言でにらみあう恰好《かっこう》になった。

「何の興味もないくせに」

喜美子はおなじことをもう一度言い、

「じゃあどうして平気なのっ？」

と、甲走った声をだしてショルダーバッグをつかんだ。

「落ち着きなよ、わかんないよ」

反射的に近よって、反射的に壁におさえつけた。

「落ち着きなよ」

喜美子の体はおどろくほど熱くなっていた。泣きだすかと思ったが、そうはせず、腕に力を込めてふりほどこうとした。

「離して」

落ち着いた声で言った。

「離さない」

なぜ離さないのかわからないまま、耕二はそう断言していた。いまさら寝る気にはなれない、と思おうとするのに、挑戦的な顔で自分をにらみすえる喜美子から、目を離すことができなかった。強くキスをしたときにはもうどうしようもなく喜美子がほしくなっていて、力ずくでも組み伏せる気でいたのだが、結局のところ喜美子も耕二に劣らない激しさで、そのあとの一時間をすごしたのだった。

「まったくなあ」

耕二は思いだしてため息をついた。

「なんでああ感情的になるかなあ」

「またかよ」

橋本が苦笑する。

「まめだよな、ほんと」

マヨネーズの皿に、七味を山のようにかける。橋本は七味唐辛子が好きだ。

「かけすぎじゃないか？」

山本は言ったが、耕二はそれを——当の橋本より先に——、干したスルメですくってかまわず口に入れた。

嫉妬《しっと》の一種なのだろう、というくらいの見当はついたが、実際、喜美子が何に腹を立てたのか、耕二には理解できないし、また、理解できる気もしなかった。あれはつまり、喜美子流の手荒な前戯なのかもしれない。そんなふうにさえ、勘ぐりたくもなるのだった。

どっちみち、いつかは別れなければならない。頭の隅では、つねにそれを考えている。

音楽はもう聴き飽きてしまった。

きょうは、昼間散髪にいった。きのうは、大学の友人に誘われるまま大学野球を観《み》にでかけたが、おもしろくなかった。週に二日の家庭教師にいく以外、これといってすることもない。透は時間を持て余してしまう。

詩史とは、もうひと月近く会っていない。

全然勉強をしなかった結果だとはいえ、前期試験があまりにもできなかったように感じるので、あしたはひさしぶりに図書館にでもいってみようかと考える。高校生のころは、他の奴が塾や予備校にいくように、図書館にいって勉強をした。あそこは落ち着ける、と、透は思う。

日はなかなか暮れない。リビングのソファに寝そべった姿勢で、透は遅い昼寝をしようと目をとじた。

詩史と知りあってから、リビングですごす時間がふえた。ここにいれば、すくなくとも電話をとりそびれる心配はない。

寝入りばなに電話が鳴った。そのせいで、詩史からではないかもしれない、と、思うのを忘れた。いつもはたいていそう思いながらでることにしているのに。

電話は父親からだった。

「どうしてる?」

元気だよ、と、こたえた。

「もう夏休みなんだろう?」

ひさしぶりに飯でもどうかなと思って、と、父親は言った。部屋の中はエアコンがききすぎていて寒い。リモコンを拾ってスイッチを切った。

「いいよ。いまから?」

透がこたえると、電話の向こうで父親がほっとしたのがわかった。

窓の外はまだあかるい。

「寝てたのか?」

声で、すぐにそれと気取《けど》られてしまったらしい。

「ちょっとうとうと」

と、認めた。

「そうか」

父親は声に笑みを含ませる。一時間後に父親の事務所に行く約束をして、透はその電話を切った。切ったとたんに、詩史との隔りがまたひらいた気がした。

でがけにシャワーを浴びたのは、首や顔や頭の周りに、床屋の匂《にお》いがしていたからで、床屋の匂いは、なぜか昔から、透を子供じみた気持ちにさせる。

駅につづく坂の上から、すみれいろの空に、電気のつき始めたばかりの東京タワーがみえた。夏の夕方の匂いがする。

父親は、クリーム色のポロシャツを着ていた。うまそうにビールをのみ、最近設計を依頼された家の話などした。その家は葉山にあり、何もかも白いのだそうだ。ゴミにかぶせるカラスよけのネットまで、白いものを特別注文したという。

「好きなんだろうな、白が」

そうしめくくって、父親は笑った。自分も何か話さなくてはいけないような気がして、透は、前期試験がさんざんだった話をした。父親は、むしろ嬉しそうにそれを聞いていた。そして、

「試験なんてたいしたことじゃない」

と、言うのだった。

「まあ、そうだけど」

父親は嫌いではないが、父親と話すとどこかそらぞらしい気持ちになった。言葉が言葉として上手く機能しないような。

「釣りはしてる？」

話題を変えたくて言った。

カウンターにのせられた父親の腕は、太くて武骨だ。

「うん。このあいだは、鮎《あゆ》を釣った」

右手の甲に、小さな傷がある。子供のころ、花火で火傷《やけど》をした跡だと言っていた。

「そう」

透は、詩史とでなければ言葉をかわしても意味がない、という気がした。詩史に対してしか、自分の言葉は上手く機能しないのだ。詩史とでなければ、食事などしたくなかった。

「食べないんだな」

それを見透かしたように父親が言う。

「そんなことないよ」

透は言い、小さなグラスのビールを干した。

かつて、父親がまだ家にいたころ、玄関を入ってすぐの壁に額がかかっていた。色とりどりの虫がならんだように見える、毛針の額だった。子供のころの透はそれを、理由もなくよく眺めていたものだった。父親とならんで酒をのみながら、ふいにそんなことを思い出した。

II

角のパン屋は、高校時代、学校の帰りに耕二とよく買い食いをした店だ。当時からすでに稀少《きしよう》価値だった、半分が雑貨屋の、小汚くも風情《ふぜい》のある店だ。

「ここ？」

由利に訊《き》かれ、透は、ここ、とこたえた。午後三時。あたりに人影はなく、かんかんに晴れている。高校から、駅と反対側に歩いたしずかな住宅地だ。

「この坂の上にバス停があってさ、遠まわりなんだけど、耕二とときどきそのバスに乗ったから」

透は説明した。日ざしの中で、由利は目を細めてパン屋をみている。

「レトロな店だね」

と、言った。店は現にそこにあり、ガラス戸はあけ放たれて暗い奥がみえるのに、由利の口調には、遠い場所に憧《あこが》れるような響きがあった。

「入ってみる？」

透が訊くと、由利は首をふって否定した。

耕二くんの高校のあたりを歩きたい、という電話をもらったとき、透は正直なところ困惑した。

「でも、耕二に連れていってもらえば?」

由利はためらいがちに、ううん、と言い、

「耕二くんとは別に、ただ歩きたいの」

と、こたえた。

「かまわないけど」

曖昧《あいまい》にこたえたつもりだったが、由利は、

「よかった」

と、言った。

ゆうべ、一応、耕二に電話をかけた。耕二はすでに由利からきいていて、

「ああ、悪い」

と、言った。

「あいつ、何か楽しみにしてるみたい」

とも。

日ざしが強い。パン屋の前の自動販売機で、コーラを買った。由利は、ハンカチで肘《ひじ》の内側をぬぐっている。

坂の下の金網にもたれてコーラをのんだ。耕二とパンを食べた、そのおなじ場所だ。

「鞄《かばん》をそのへんに放って、ここにもたれて、耕二はそこにしゃがんで」

透が言うと、由利は嬉《うれ》しそうな顔をした。パン屋の隣は古くさい床屋で、三色の、うねる目印がまわっている。透は、ここでいつもそれを眺めていた。

「どんな話したの？　ここで、耕二くんと」

「どんなって、いろいろ、憶《おぼ》えてないけど」

由利は自分でも質問のばかばかしさに気づいたらしく、笑いながら、

「そりゃあそうよね」

と、言う。透もつられてすこし笑った。

「そんなに好き？　耕二のこと」

つい尋ねると、由利は躊躇《ちゅうちょ》もせず、

「好き」

と、こたえるのだった。

高校、駅のそばのコンビニ、途中下車してうろついた街のゲーセン、パン屋。あと

はどこへいけばいいのだろう。

「どうする？　バスにも乗ってみる？」

「乗るっ」

由利は元気よく返事をする。

透と由利が二人きりで会うことについて、耕二は、自分がすこしも不快にならないのが可笑《おか》しかった。かなり嫉妬深い方だ、と、つねづね自己分析しているからだ。警戒心も強い方だと思っている。

でも、あの二人は、揃《そろ》って自分の警戒心をなくさせる人間なのだ。そう考えて、耕二はなんとなくみちたりた気分になった。気をゆるせる人間はすくないが、ゆるしたらとことんゆるすことにしているのだ。

いい天気の水曜日。夏休みの大学は、閑散としている。二つの野球場や陸上競技場、ハンドボールコートや弓道場まで備えるキャンパスは広い。掲示板でみつけた「人体実験」のバイトは、一時間でおわってしまった。体育科の教師や他校の学生の見守る中で、手や足に電極をつけて動く。それだけのことだった。

暑い。煙草《たばこ》をくわえて火をつけた。文連ハウスの前を通ると、演劇部員のへたくそな発声練習がきこえ、空気が余計暑苦しいのだった。

きょうは実家に帰ることにしている。就職の相談だが、その前に、きっと母親の料理ぜめにあうことだろう。


いつものように、詩史の誘い方は唐突だった。

「週末、軽井沢にいくの。一日だけ遊びに来ない？」

暑い日が続き、ざあっと夕立ちがおちて街を濡《ぬ》らし、空気がすこし冷えたような気のする夕方、透と詩史は『フラニー』にいる。

「別荘があるの」

詩史がウォッカを啜《すす》ると、細い喉《のど》が動くのがみえた。

「別荘」

透がくり返すと、詩史はうなずき、素敵なところよ、と、言った。

ずっと会いたかったひとが隣にいる。

透は、その事実を味わうだけで手一杯だった。「週末」も「別荘」も、遠くて実感が湧《わ》かない。

ずっと会いたかったのだ。詩史のことばかり考えていた。詩史の読んだ本を読み、詩史の聴いた音楽を聴いた。病気かもしれない、と、思うほどだった。気が狂っているのかも、と。

詩史は涼しい顔をしている。透を苦痛の中にほうっておいたことなどないかのように、きのうも会って、きょうも会っているみたいな自然さで、優雅に酒を啜っている。

「テニスができるわ」

詩史は言った。透はやや迷ったが、

「テニスはしたことがない」

と、正直にこたえた。

「スポーツは苦手なんだ」

詩史は片手で頬杖《ほおづえ》をつき、たのしそうに透をみつめると、

「まあ」

と、言った。詩史の目は見事なアーモンド形をしている。

「偶然だわ。私もそうなの」

それから煙草に火をつけて煙を吐き、

「ゴルフもできるけど、やらないわよね」

と、言った。透がやらないとこたえると、

「素敵。私、ゴルフをする男のひとは大嫌いなの」

と、言うのだった。素敵だわ、と、くりかえす。

「うんと自堕落にすごしましょう。昼間からお酒をのんで、お昼寝をして」

透の耳に、なんだかそれは、息のとまりそうなことに聞こえた。とてもほんとうとは思えないくらい甘美なことに。

「泊れるの？」

透が尋ねると、詩史は一瞬不思議そうな顔をして、

「あたりまえでしょう？」

と、言う。へんなことを訊くのね、と。詩史は小さく微笑《ほほえ》んで、グラスに残ったウォッカをのみほした。

「でも、手ぶらで来てくれて大丈夫よ。必要なものはみんな買いましょう」

左腕の時計をみながら立ち上がる。

「もういかなくちゃ。あなたはゆっくり飲んでいってね。よかったら何か食べるものも」

失望が顔にでていないことを祈りながら、透は、わかった、と、こたえる。なんとか、微笑みらしきものを浮かべた。

『フラニー』の、重い扉が背後で閉まる。そして、また、透は突然一人きりになった。

由利と早朝のテニスをしたあとで、家庭教師のバイトを一つこなし、耕二を「かてきょ」と呼ぶその出来の悪い娘の家で昼食の親子丼を食べたあと、耕二は、喜美子と逢引《あいびき》をした。

喜美子とは、このところ、週に四日の彼女の習い事のたびに会っている。いままでにない頻度だ。それが喜美子の要求のせいなのか、自分の欲望のせいなのか、耕二は判断がつきかねた。

ただ一つわかっていることは、このままではヤバイ、ということだ。喜美子の要求は日ましにエスカレートする。そして自分の欲望も。その二つが、ぎりぎりのところでぶつかっているのだ。ほんとうに、ぎりぎりのところで。

「耕二くんの肌はいい匂《にお》いね」

奇妙にもふくらはぎに唇をつけたあと、喜美子は言った。

「若い、芳《かんば》しい匂い」

太腿《ふともも》に、腹に、そして肩に唇をつける。

「無駄なものがなんにもついてないのね」

ホテルの部屋は狭く、窓がないので暗くて時間がわからない。

「無駄なものって?」

「脂肪とか、乳房とか」

耕二は呆《あき》れた。

「ついてるよ、どっちも」

仰向《あおむ》けになっている耕二を無遠慮に見下ろし、喜美子は、

「まあね」

と、しぶしぶ結論を下した。

「それに、もし乳房が無駄なものだとしたら、俺は喜美子さんの無駄が大好きだよ」

身を起こし、喜美子を背中から抱いて、乳房を両手のひらで、一つずつ包んだ。喜美子は笑い声をもらし、身をふりほどくとかがんでショルダーバッグを拾い、

「贈り物があるの」

と言いながら、バッグの中をさぐった。

手渡された物をみて、耕二は眉《まゆ》をひそめた。携帯電話だった。

「持ってて」

語尾を上げ、質問のようなアクセントで言ったあと、喜美子は耕二の表情を、心配

そうに見守っている。

「なんで?」

耕二は、自分でも露骨だと思うほど、不快気な声をだした。ひどく不快だった。年上の、裸の女に携帯電話を渡されて、俺がおとなしく持つわけがないじゃないか、と、思う。

「なんでって、こうすればいつでも連絡がとれるでしょう? それに、いまどきの若者なんだから、持っていて普通よ」

いまどきの若者なのに持ってないのには持ってないだけの理由がある、ということに、この女はどうして気がつかないのだろう。

「もらってくれてもいいでしょ」

高飛車《たかびしゃ》ともいえる口調で喜美子は言い、

「彼女とデートをするときは、電源を切っとけばいいんだから」

と、問題の本質とは関係のないことまでつけたした。

「こういうもの、持たされるのは嫌なんだ」

耕二は言った。

「束縛されるっていうかさ」

喜美子は表情を変えなかった。とげとげしい声で、

「じゃあけっこうよ」

と言い、耕二の手から電話をひったくると、たたきつけるようにゴミ箱に捨てた。ゴミ箱が金属製だったので、がたんと大きな音がした。

興奮すると、喜美子はゼスチュアが大きくなる。部屋を歩きまわる速度も早くなり、服を拾って身につける動作も荒々しい。

「落ち着きなよ」

耕二は言った。ゴミ箱をのぞくと、携帯電話は裏の蓋《ふた》がはずれ、電池パックがとびだしていた。

「物に罪はないじゃん、乱暴だなあ」

喜美子は聞いちゃいなかった。

「ばかみたいよね。ほんと、ばかみたい」

ひとりごとのようにつぶやく。

「腐心するのは私ばっかり」

普段の喜美子は美しいのに、怒ったときの喜美子は、耕二に、機嫌の悪いときの母親を連想させる。ヒステリーのおばさんの顔だ。

「喜美子さんってばあ」

もう限界なのかもしれない、と、考える。つきあいきれない、と。

「どうしたらもっと耕二くんと近くなれるかって、私はそればっかり考えてるのに。どうしたら耕二くんに負担をかけずに、でももっと近くなれるかって」

すっかり服を着おわった喜美子は、そう言う途中でふいに声をふるわせた。

「どうして耕二くんは平気なの？」

そして、そのまま泣きだしてしまった。

「どうしてよ。どうして平気なの？」

耕二は天井を仰いだ。


軽井沢は快晴だった。

東京駅から銀色の新幹線に乗って六十五分。母親には、大学の友人と旅行にいく、と言って来た。母親は一瞬疑わしそうに透の顔をみたが、そう、と言った。気をつけていきなさい、と。

詩史とは、駅で待ち合わせた。道が空《す》いていて早く着いてしまった、という詩史は、濃紺のサマードレスを着て、白い腕をあらわにしていた。

詩史がいつものショルダーバッグしか持っていないのをみて、透は訊《き》いた。自分は一泊だが、詩史はそのあとしばらく滞在する予定になっている。

「荷物は？」

「荷物？　何が要るの？」

たのしそうに詩史が訊き、その瞬間、透は自分たちが自由だという気がした。ほとんど、なんでもできるという気がした。手ぶらで、どこにでもいかれる。まるで、永遠に旅ができるような気持ちだった。

実際、その日の出来事は何もかも、透には幸福すぎて現実感がうすいように思われ、それが勿体ないように思われた。一つ一つをもっときちんと味わいたいのに、車窓を流れる景色みたいにつかみどころなく、なす術《すべ》もなく幸福がこぼれ去っていくようなのだった。

新幹線の中で、詩史は缶ビールを飲んだ。プルトップは透があけた。それだけのことが、透には嬉《うれ》しく、特別に思えた。物売りのワゴンが通りかかったときも、詩史が物珍しそうにみたので、透は冷凍みかんを買ってやった。詩史は嬉しそうにそれを食べた。

いつもは詩史のフィールドにいるので、自分にできることがあまりない、と、常々透は感じていたし、雑踏の中の詩史は奇妙に浮いているので、自分が守ってやるべき何かだと思えた。

ともかくそんなふうにして、透は軽井沢についたのだった。

「暑いわね」

改札をでると、詩史はまずそう言った。腕をかざして日をさえぎり、しばらく駅前を眺めたあとで、

「何がしたい?」

と、訊いた。なにしろまだ朝の範疇《はんちゅう》に入る時間なのだ。

「何でも」

透はこたえた。何でもいい、の何でもではなく、何でもしたい、の何でもだった。

詩史には、それがわかったようだった。にっこりして、

「素敵」

と、こたえたのだから。

「じゃあまずお部屋をつくっちゃいましょう。それから外にでればいいわ」

詩史は言い、日ざしの中に歩きだした。

「幹事？」

電話口で、耕二は不興気な声をだした。クラス会の幹事など、めんどうくさいだけの仕事だ。

「四年になるとみんな旅行とかいっちゃうし、就職したらなかなか会えなくなるでしょう？　うちのクラス、卒業してから一度も集まってないし」

現女子大生である、元同級生は言うのだった。

「こういうことって、誰かが重い腰をあげないと、動かないじゃない？　耕二くん人望厚いし」

女子の方は私がまとめるから、と言うこの女は、それじゃあ自分も人望が厚いと思っているのだろうか。

「内田先生もね、夏休みのうちなら来て下さるっておっしゃるのよ。みんなの顔がみたいって」

あしたは父親の知り合いと会食することになっている。大学三年の夏は就職の夏だ。喜美子はべったりおおいかぶさってくるし、バイトは手をぬくことができない。なんでまたいま、クラス会なんだ？

「いいじゃん」

しかし耕二はそうこたえていた。

「いい店があるよ、俺のバイト先なんだけどさ」

そういう性分なのだ、と、自分でも知っていた。行動能力がありすぎるのだ、と、言い換えてもいい。

「よかったあ」

元同級生は、安堵《あんど》の声をだした。

「みかちゃんとか来るかなあ」

咄嗟《とっさ》に思いだせる限りいちばんかわいい子の名前を言った。

「飯田さんとか、まなみちゃんとか」

思いつくままに列挙しながら、耕二は、でも、誰の顔もはっきり思いだせないのだった。

12

家具は、すべてシーツに覆《おお》われていた。透は、詩史と二人でそれを一枚ずつとりのぞきながら、埃《ほこり》と古い家具とのつくりだす、カビくさいのに感じのいい匂《にお》いをすいこんだ。一階には小さな窓が一つあるきりなので、部屋の中がうす暗い。

「何年前に買ったの？」

透が尋ねると、詩史は、さあ、と、首を傾《かし》げた。部屋をみまわし、そんなこと知るはずがない、とでもいうような顔をする。

「もともと浅野の母の持ち物だったの」

「へえ」

「掃除機をかけてしまいましょう」

詩史がてきぱきと言った。

広い家だ。二階には寝室が三つと小さな風呂場《ふろば》が二つあり、そのほか至るところに備品を収納する戸棚があった。

「この別荘で、私がいちばん気に入ってるのはバスルームなの」

詩史の言うそのバスルームは、たしかに随分洒落《しやれ》たつくりになっていた。

「クラシックでしょう?」

アンティークらしいタイルは乳白色で、ところどころに鶏の絵がついている。おなじく乳白色のバスタブは、長細くなめらかな形で猫足になっていた。

「あかるいんだね」

窓をみながら、透は言った。

三つの寝室のうち、実際に使っているのは一つだけだというので、そこだけ掃除をした。ベッドが一つと椅子《いす》が一つ、チェストが一つあるきりの、小さくてかわいらしい部屋だった。

「ラジオ、まだちゃんとつくかしら」

詩史が訊き、透は、チェストの上の、場違いな感じのトランジスタラジオのスイッチを入れた。場違いな感じの、下品な落語家の声がした。

詩史がそばにくる気配がして、次の瞬間、唇が触れた。透は直立した姿勢のまま、そのやわらかな唇を受けとめた。軽くしずかな、それでいて感情のこもったキスだった。落語家が軽薄に喋《しやべ》りつづけていた。

ここに来るみちみち、タクシーのなかで、詩史はまわりの景色を説明してくれた。「このへんは賑《にぎ》やかなの、ハチミツだのラベンダークッキーだの売ってるような店ばっかり」とか、「その先が美術館よ。裏にワインの醸造所があるの」とか、「このへんは、冬に来るとほんとに淋《さび》しいの。芝もみんな枯れててね」とか。別荘は、駅からかなり離れた場所にある。

部屋が整うと、昼をすこしすぎていた。

「しずかだね」

寝室の窓から顔をつきだし、目をとじて透は言った。

「遠くでセミの声がする以外、何の音もきこえない」

詩史は、あしたの夕方、ここで浅野と合流することになっている。透は、ふりむいて詩史の顔をみた。つまり、あとまだまる一日一緒にいられるのだ。

「辺鄙《へんぴ》なとこだもの」

詩史は言った。

「夜は怖いくらいしずかよ」

真昼の日ざしのなかでみる詩史は、いつもよりほんのすこしだけ年上にみえた。

「あとで林を散歩しましょう」

小さな顔、白い肌、細くやわらかい髪。

「本を持ってきた?」

詩史に訊かれ、透は首を横に振った。本? なんだってそんなものを持ってくるだろう。そばに詩史がいるというのに。

詩史は、何か考える顔をした。ひどく真面目《まじめ》な口調で、

「じゃあ、なにか貸してあげる」

と、言う。

「ここで一緒に本を読むのは素敵よ。月がでるといいんだけど」

きっとでるだろう、と、透は思った。詩史がそう望むなら、たとえ月が二つでてもおどろかない。

「じゃ、ベッドを試してからでかけましょう」

掃除をしてしまいましょう、と言うのとおなじ口調で、詩史は言うのだった。

甘い一日、というのは、こういうことをいうのだろう。透は、身心ともに満足しきった子供のようなため息をついて思った。

小さくて暗い店だ。ビールはつめたく、きゅうりとクラゲは適度に甘い。あけ放た

れたドアから風が入り、全体が日陰なのでエアコンなしでも涼しかった。

「ベッドを試し」たあと、透は、詩史と一緒にシャワーを浴びた。乳白色のバスルームで。詩史さんは梨《なし》のような匂いがする、と、透は思った。タブに立った詩史のまろやかなかたち。日ざしのなかで、皮膚表面に、小さく鳥肌が立っているのがみえた。あたたかくほとばしる水。抱きしめたり、キスしたりすることは思い浮かばなかった。透は、ただ眺めていた。

鶏の絵のついたバスルームで、詩史はのびのびしているようにみえた。よく笑ったし、髪の先から雫《しずく》をこぼし、透のこともびしょ濡《ぬ》れにした。

「ものすごくお腹《なか》がすいてるわ」

泡立てた石けんで足の先を洗いながら、詩史は幸福そうに言った。

「それに、ものすごく喉《のど》もかわいている」

透はうなずいた。そろそろ二時半をまわっている。

中国人の親父《おやじ》が一人でやっているというこの中華料理屋は、「遅い時間でもあいているから」よく来るのだと、詩史は言う。透と詩史のほか、客は一人もいなかった。カウンターの奥に酒甕《さかびん》が並んでいるところをみると、夜はバーになるらしい。

「行ったことはないんだけど、東南アジアっぽい店だね、ここ」

小ぶりの春巻をかじると、ざくりと鈍い音がした。

「日本も中国も東南アジアも、アジアだもの、似てるわ」

詩史が言い、それは透が言おうとしたこととは違うような気がしたが、結果的にはそのとおりだという気もして、透は曖昧《あいまい》にうなずいた。なにもかも心地よかった。ビールがまわったと感じた。

「ね、何か話して」

促され、透は、ひさしぶりに高校の周辺を歩いた話をした。由利のことや耕二のこと、角のパン屋、坂の上のバス停。

詩史は口をはさまずにきいていた。変な感じだった。時間も場所もわからなくなるような。店の中の空気が、外とは全然違う密度で流れているような。東京だの、高校だの、由利だの耕二だのは、遠い物語のできごとに思えた。世界に、自分と詩史の二人だけが存在している。透はそう思い、ほとんどめまいのような幸福を感じた。

「今度、詩史さんの高校にいってみようよ。大学でもいいけど」

思いたって提案すると、詩史は目元をほころばせるように微笑して首を傾《かし》げた。

「遠すぎるわ」

距離のことではないとわかったので、透は反論できなかった。

「高校生の私も、大学生の私も、いつも透くんの目の前にいるわ」

詩史は、そんなふうに言った。


店をでると、国道ぞい——片側はずっと林だ——をぶらぶらと歩いた。暑さは幾分やわらいでいるが、空はまだ青い。途中のコンビニエンスストアで、透はハブラシとハミガキ、それに下着を買った。


どこにでもいかれる。

自由な気持ちになって、透は思った。東京に帰る日など、永遠に来ない気がした。

「いい気持ち」

小さく息をすいこんで、詩史が言った。

「山の空気ね」

まだ八月だというのに、ところどころに乾いた芒《すすき》が揺れている。歩くとき手をつなぐのは、もう習慣になっている。

「来てくれて嬉《うれ》しいわ」

詩史は言った。

「ここを、透くんと歩けてとても嬉しい」

その言葉は、どういうわけか、透をひどくせつなくした。このひとと自分は、ずっと、別々の場所で生きているのだ。

道の反対側を自転車が走り去ったとき、

「自転車は？」

と、ふいに詩史が尋ねた。質問の意味をのみこめずにいると、

「自転車にのるっていうのは？」

と、たのしげに訊《き》き直し、随分と嬉しそうだったので、無論透はつられてうなずいた。

「何か、いままでしたことのないことをしたいの」

なかばひとりごとのように、詩史は言うのだった。

食料を買い、一度別荘に戻ったあとで、レンタサイクル屋にでかけた。二人のりの自転車を借り、林ぞいを走った。ゆっくり走って、と詩史が言うので、透はそうした。

夕方になっていた。道はまっすぐで、単調な風景がつづき、透は、軽井沢を好きだと思った。どこまででも走れる、と。

「華奢《きやしや》なのね」

うしろで詩史が言った。

「背中が、とても華奢だわ」

すぐうしろに詩史がいて、声がきこえ、ペダルをこぐリズムと一緒にわずかに息遣いが乱れることまで感じとれるのに、みることも触ることもできないのは不当な気がした。

それでも、透には詩史の一挙手一投足がわかった。ああいま髪をかきあげたな、とか、横を向いているな、とか。

「いい風」

うっとりと言った詩史が、目をとじたことも。

たっぷりとながい一日だった。

七時をすぎてようやく日が暮れた。別荘の居間での夕食は、料理の嫌いな詩史らしく、チーズとハム、出来合いのジャーマンポテトや鰊《にしん》のマリネ、といった品々を、プラスティックケースから直接つつくというものだった。ワインだけは豊富にあった。

「もう何年も動かない」という立派なオーディオセットの上に置かれた、ちゃちなCDプレイヤーからロバータ・フラックが流れている。

それらすべてが、透を子供じみた気持ちにさせた。何一つ、この別荘にそぐわない。自分と詩史が、壁だの床だのアンティーク家具だのから拒絶され、孤立しているように感じた。

それは奇妙なことだった。この別荘にとって自分はストレンジャーだが、詩史は違う。そうしてそれにもかかわらず、透には、自分たちが二人とも、世界からはみだしているように思えた。

「のまないの?」

詩史が透のグラスを持ち上げて訊いた。

「居心地が悪い?」

とも。

「そんなことはないけど」

透はこたえ、なんとなく困って、

「こんなにながく一緒にいるのははじめてだから」

と、言い訳のようにつけたした。

詩史は微笑《ほほえ》み、部屋のなかをみまわした。

「つまり、気がとがめてるの?」

まの悪いことに、ロバータ・フラックがおわり、部屋のなかはしんとしている。

「詩史さんは？」

透が問い返すと、詩史はしばらく黙って考えたあと、

「気にすることはないと思うわ」

と、こたえた。

それは、結論だった。透は感心してしまう。詩史はいつも、まっすぐに物事を考え、結論を導く。

「会いたかったわ」

詩史は、透の顔ではなく胸のあたりをみながら言った。

「私が、というより、私のなかの誰か別な女が、ひどくあなたに会いたがってた」

立ちあがり、CDをかけかえる。

「別な女？」

あかる気な電気ピアノにつづき、スリー・ドッグ・ナイトが流れた。

「そう。それが頑固で野性的な女なの」

野性的、という言葉が詩史に不似合いだったので、透はすこし笑った。笑いながら、でもわかるよ、と思った。すごくよくわかる、と。

キスもセックスも、しずかで自然だった。とくに激しくもなく、とくにながくもしなかった。

そのあとで、ベッドで本を読んだ。詩史が貸してくれたのは、『PEACOCK PIE』という詩集だった。洋書だったが、透の英語力でも十分に読めた。詩史は、そのなかの「THE SHIP OF RIO」という詩が好きだと言った。窓の外には無論月がでていた。シーツにワインをこぼしても、詩史は気にしないようだった。

「裸でいるのって大好き」

そんなことを言った。

途方もなく幸福だ。

眠りにおちる直前、透は心からそう思った。

車寄せの小石のはぜる音で、透は目をさました。一瞬遅れて詩史が跳ねるように起き、まさか、とは思ったが、事実それは浅野の車なのだった。

上半身だけ起こした姿勢で、詩史は片手で顔をこすった。

「いやだ」

あわてているようにはみえなかった。透は心臓が頭からとびだしそうだというのに。

「服と靴を持ってバスルームにいって」

詩史は言った。

「ドアはあけておいてね。大丈夫だから」

「無理だよ」

透は言った。自分でも情ないほどうろたえていた。

「もうまにあわない。階下だってそのままだし。二人分の食事の残骸《ざんがい》とか。ここだって……」

「いいからいって」

透は、自分がふるえていることに気づいた。言われるままに風呂場《ふろば》に隠れ、夫の襲来に備えた。無事にきりぬけることなど不可能だった。

階段をのぼる足音は重たげだった。

そこから部屋の様子はみえなかったが、ドアがあいたとき、詩史はおそらくベッドに身を起こしたままの恰好《かっこう》だっただろう。シーツは乱れ、本が二冊とワイングラスが二つころがっている。

「早かったのね」

最初に口をひらいたのは詩史の方だった。

「約束が一つキャンセルになってね。道が混まないうちにと思って五時にでてきた」

浅野の声には、怒りというより疲労がにじんでいるように思えた。

「お客さん？」

「ええ。退屈だったから」

詩史の声からは、何の感情もよみとれなかった。

足音がきこえ、浅野が窓辺にいくのがわかった。

「もう帰ったのか？」

「いいえ」

詩史の声は平然としていた。

「コーヒーを買いにいってもらってるの。きらしちゃったから」

電話して、あなたが来たことを伝えるわ、と、詩史は言った。透には、浅野がそれを信じたかどうかわからない。ただ、ややあって浅野が、

「そうしてくれ」

と言うのがきこえただけだ。

「荷物をおろしてくる」

透には、一切がわからなかった。予想していたような修羅場にはならなかった。

「お客さん」について、浅野は何も尋ねなかった。詩史も浅野も落ち着いており、動転しているのは自分だけのような気がした。裸で。服を抱えて。

疎外《そがい》された気持ちだった。透は、タイルの鶏をみつめた。

「でてきても大丈夫よ」

詩史の声がきこえた。でていくと、詩史はすでに身仕度をすませていた。

「服を着て、しばらくここにいて。私たちがでかけたら、タクシーを呼ぶといいわ。番号は電話の横に貼《は》ってあるから」

透は、わかった、と、こたえた。ゆうべの、途方もない幸福感はあとかたもなく消えていた。砂利を踏む足音がきこえている。

「帰ったら電話をするわ」

詩史は言い、部屋をでかけてふりむくと、状況にそぐわない笑顔をみせた。

「たのしかったわね」

そして、茫然《ぼうぜん》と立ちつくす透を残しておりていってしまった。夫の待つ車寄せへ。あっというまのできごとだった。目をさまし、なす術《すべ》もなく、世界が一変してしまった。

服を着て、透はおそるおそる窓の外をのぞいた。ベンツのトランクがあけられ、二人で荷物を運びだしているところだった。大きなボストンバッグが一つと、ゴルフバッグが二つ、みえた。

13

ひでえ夏、と、耕二があとからふり返ることになる夏休みは、まだ始まったばかりだった。すくなくとも、由利との関係はうまくいっている。バイトに加え、同窓会の幹事もひきうけたために、あわただしいことはあわただしかったが、一方で、就職にむけての準備がすべりだし好調で、つまり、まあ、諸事万端うまく運ぶ予定だった。

三晩続けて会食をした。

父親が、医者といってもかなり政治的な部類の医者で、「会うことさえ難しい名医と十年来の知己のようにゆったりと『健康』について語り合える」という謳《うた》い文句のメディカルセンター――財界人、著名人、金持ちばかりを会員に持つ――の重鎮であるために、耕二が就職を考える上で、最初の一歩はきわめて有利なのだった。

企業につとめるのなら、大きな企業がいい、と、決めている。試験の成績以上にものをいう何かがあることも、無論知っている。

「たのもしい息子さんですね」

おやじどもは口を揃《そろ》えた。最近の若者にはめずらしくアグレッシヴだ、とか、先がたのしみですね、とか。そりゃあそんな場所——鰻屋《うなぎや》の座敷だの、会員制のレストランだの——で口にされる言葉を鵜呑《うの》みにするほどばかではないが、耕二には昔から、おやじうけする自信があった。

なかでも外資系企業役員の反応はよかった。別れ際《ぎわ》に手をさしだされ、握手をすると、妙に力強く握られた。

「いやあ、上等だ」

握手をしたまま、反対の肩をたたかれた。

「今度は親父《おやじ》さん抜きで飲もう」

外資系は、休みをとりやすいらしいのも魅力だ。首を切られずにすむ人間なら、給料も上がる。

やや感じが悪かったのは商社のおやじで、

「まあ、野心も悪くはないですけどね」

と、含みのある物言いをした。

「まあ、頑張って下さい」

と。

しばらく実家にいたために、生活のペースが停滞してしまった。耕二は、由利や喜美子に会いたかった。あしたはアパートに戻ることになっている。

透が軽井沢から帰ると、母親がいた。パジャマ姿で、コーヒーをいれている。よく晴れた日だ。

「ただいま」

顔をみせると、母親は透をじろりとみた。

「随分早かったのね」

午後一時をまわったところだった。うるさいな、と思ったが、無論口にはださずに自室にひきあげた。

帰りの新幹線は、ひどい違和感だった。自分が架空の存在であるような気がした。周りの人間からは見えないもののような。日ざしにもホームにも雑踏にも、現実の一切に馴染《なじ》めなかった。透は一人ぼっちだった。何もかも信じられなかった。状況を理解したり把握したりする暇がなかった。理解も把握もできないままで、ただぼんやり帰路についているのだった。

浅野は、「お客さん」について何も尋ねなかった。ワイングラスだのシーツだの裸の妻だの、そこらじゅうに残っていた痕跡《こんせき》は、まるでないもののようだった。

詩史は取り繕《つくろ》わなかった。辛うじて透を隠しはしたものの、平然としていた。

窓からのぞき見たとき、彼らはまるで普通の夫婦のようにみえた。仲のいい、休暇に別荘へやってきた、夫婦のように。

「荷物？　何が要るの？」

詩史はきのうそう言った。透は自分たちが自由だと感じた。でも無論、詩史の荷物は夫が持ってきたのだ。

「私、ゴルフをする男のひとは大嫌いなの」

詩史は、そうも言った。ベンツのトランクに積まれた、二つのゴルフバッグ。想像もつかないことだが、詩史と浅野は、いまごろ連れだってゴルフをしているのだ。

ノックの音がきこえ、ドアがあいた。

「ゆうべ、耕二くんから電話があったわよ」

コーヒーカップを持った母親が言った。

「電話を下さいって」

透は、わかった、と、こたえた。こたえても、母親はまだいなくならない。

「なに？」

と、訊《き》いた。

「余計なことを言うつもりはないけど」

母親の声は――とくに、酒をのんだ翌日は――、低くてがさがさしている。

「ほどほどにしときなさいね」

「なんだよ、それ」

滅多にないことだったが、透はかっとした。うんざりだった。母親はこたえなかった。

「なんだよって、訊いてるんじゃないか」

腹を立てると、声音が子供じみてしまう。透が腹を立てたくない理由の、それも一つだった。

「わかってるんでしょ」

母親は言った。

「わからないから訊いてるんだろ」

母親が何を勘ぐっているのか、考えたくはなかった。いずれにしても余計なお世話だった。ひっこんでいてほしかった。

母親はため息をついた。

「何むくれてるのよ、子供みたいに」

今度は透が返事をしなかった。

「お昼ごはんは？」

いらない、とこたえた。

最悪だった。軽井沢でのできごとは、とても現実とは思えないくらい、もう遠ざかっていた。

ひさしぶりに会った由利は、ちょうちん袖《そで》のブラウスを着ていた。

「かわいいじゃん」

ほめてやると、由利は嬉《うれ》しそうな顔をした。午後二時。由利がアイスティを飲みおえるのを待って、アパートに帰り、バイトにでかけるまで一時間半。完璧《かんぺき》だ、と、耕二は思う。一日は万人に平等に二十四時間なのだから、効率よく使うべきだ。

ストローをくわえた由利の、清潔に白い頬が耕二は気に入っている。喜美子の頰は削《そ》げているが、由利の頰はふっくらとしている。それは、耕二の目に、なにか尊いもののように映る。不幸にしてはならないもののように。

「まあおじさんのところはやめなよ」

三夜の会食の首尾を話すと、由利は言った。

「もったいないよ、耕二くんの良さをわかってくれる会社でなきゃ」

由利は呼び名をつけるのが得意だ。鰻屋の座敷で会った商社の専務は、会話の頭にかならず「まあ」をつけることから、早速「まあおじさん」と命名されたわけだった。

「でも、『上等だ』とか言って肩をたたくのもイヤだよね。なんかウソっぽいし」

ストローでかきまわし、アイスティの氷をカラカラいわせた。由利の言うことは、いつも無害だが、何の役にも立たない。そう思いながら、耕二は煙草《たばこ》に火をつけた。

夏がおわるまでに、喜美子と別れなければならない。それが、耕二が実家での数日でだした結論だった。これ以上喜美子が冷静さを欠いてしまう前に、あるいは、これ以上自分が翻弄《ほんろう》される前に。

「いいお天気だね」

目の前で由利が微笑《ほほえ》んだ。アイスティを、ほとんどのみおわっている。ちょうちん袖のブラウスを、耕二ははやく脱がせたいと思った。

アパートへのみちみち、由利は友だちとでかけたライブの話をした。その友だちは面食いで、音楽性よりも容姿でミュージシャンを選ぶのだそうだ。で、容姿で選ばれたそのインディーズバンドのミュージシャンたちは、由利には「ちっとも恰好《かっこう》よくなく」見えたという。「みんなナイーヴなぼんぼんっぽかった」らしい。耕二には、どうでもいいことだった。どうでもいいことだったが、

「耕二くんのが全然恰好いいよ」

と言って腕にしがみつき、肩に鼻をこすりつけるような仕草をする由利を、かわいいと思わないわけにはいかないのだった。


喜美子との再会は、由利とのそれとは全く違う様相を呈した。

喜美子の希望で、またアパートに連れてきたのだが、おなじ自分のアパートも、喜美子がいるとなんとなく不埒《ふらち》な、不衛生なラブホテルめいた場所にみえてくるのだった。好きな（はずの）女についてそんなことを思うということ自体、たぶんもう駄目なのだろうと耕二は思う。

そもそも喜美子は機嫌が悪かった。まるで点検するかのように、部屋を無遠慮にみまわした。

「若者の部屋よね」

そんなことを言った。

「掃除や洗濯は自分でしてるの？」

耕二は、勿論《もちろん》、と、こたえた。ほんとうのことだったが、喜美子が信じていないのがわかった。

「なにか飲む?」

耕二が訊《き》くと、喜美子は、紅茶を、と、言った。やかんに水を入れ、由利がいつか「由利用」と言って買ってきた、ティーバッグの箱に手をのばす。

「私もわりと忙しいの」

喜美子は言った。

「習い事もあるし、家の中のことに手抜きはしたくないし、義母《はは》たちとのつきあいもね、けっこういろいろあるから」

何が言いたいのかわからなかった。

「だから?」

紅茶茶碗《ちゃわん》をならべ、冷蔵庫から牛乳をだす。

「だからね」

喜美子の声に、ヒステリックな笑みが混ざった。

「だから、もうおわりにしたいの」

おどろいた。ふりむくと、喜美子は微笑んでいた。

「おわり？」

間抜けのように、耕二はそう訊き返していた。

「あなたにもいろいろ生活があるみたいだし、お互い忙しいんだから何も無理してつきあって下さらなくてもいいって言ってるの」

やばい、と、思った。喜美子はもうキレている。どういうわけでそうなったのかはわからないながら、あきらかにもうキレている。

「あなたがずっと、この先もそうやって生きていられることを祈るわ。耕二くんならできるかもしれない。冷血漢だもの。ええ、きっとできるわ」

喜美子は感情的にまくしたてた。

「電話したのよ。何度も。そりゃあいなくてもかまわないわ。でも夜中になっても明け方になってもでないから、事故かもしれないって……」

喜美子は言葉をつまらせた。泣くことはせず、ただ黙った。

「ごめん」

耕二はあやまった。

「留守電に入れといてくれればよかったのに。そしたらすぐかけ直せたのに」

「馬《ば》っ鹿《か》じゃないの」

般若《はんにゃ》の形相で、喜美子がさえぎった。

「そんなの誰だって遠慮するでしょう？　だって彼女やお母さんや、そうじゃなくても別の誰かに」

今度は耕二がさえぎった。それ以上言わせるわけにはいかなかった。唇をふさぐと喜美子は抵抗し、信じられないほどの力で耕二の腕をふりほどいた。身をひきはがし、耕二をにらみつけながら、

「馬鹿じゃないの」

と、もう一度言う。みつめあう恰好になった。ややあって、喜美子は首にしがみついてきた。

「心配したのよ」

声は、決して甘くなかった。むしろ、怒りがまだ尾をひいていた。しかし耳元でそうささやかれ、耕二は左手で喜美子の身体《からだ》を抱きとめながら、右手を背中にまわしてガスの火を止めた。やかんが、さっきからずっと湯気を吹き上げていたのだ。そのまの恰好でベッドに移動する。自分でもそれと意識しないままに、耕二はあやまり続けていた。ごめん、と、キスとをほぼ交互にくり返しながら、ベッドに倒れ込むと喜美子におおいかぶさり、削げた頬にそっと片手をあてた。

別れることに決めている。決めているが、それはまだ、きょうのことではないのだった。

耕二の電話は、また留守電になっていた。きっと、バイトやデートで忙しいのだろう。透はソファにどさりとすわり、窓の外を眺めた。夕方。『PEACOCK PIE』は、きのう洋書屋でみつけた。ぱらぱらとめくり、「THE SHIP OF RIO」の頁《ページ》をひらく。

詩史は、まだ軽井沢にいる。

あんなことのあったあとで、彼女は浅野と、一体どうやって、どんなふうにすごしているのだろう。

夫婦のあいだに、まるで何らかの、暗黙の了解があるみたいだった。夫婦のバスルームで、透はあきらかに疎外《そがい》されていた。いないも同然の、とるに足らない存在だった。

「たのしかったわね」

詩史は最後にそう言った。そう言って、そのまま浅野のところへいった。透には、理解できないことだった。

天井を仰ぎ、目を閉じて、浅野の来る前の軽井沢を思いだそうとした。出来事のいちいちではなく、その気分を。

それは無駄な努力だった。自分を袋のように裏返しても、その気分は塵《ちり》一つ分もみつからないことがわかっていた。

詩史と読んだ本も、詩史と聴いた音楽も、透を落ち着かせてはくれなかった。苛立《いらだ》って立ち上がり、台所にいったが何も手にとらずにまたソファに戻った。この部屋はエアコンがききすぎていて寒い。自分のアパートにいない耕二がうらやましかった。どこかいく場所があり、やることのあるらしい耕二が。

六時をすぎ、外がようやく暗くなり始めている。東京タワーが、ひっそりと立っている。


コール二回で、透本人がでた。

「透?」

白いシャツに黒いずぼん、といういつもの制服姿で、耕二は事務所からかけている。

「よかった、つかまって」

電話口で、透が苦笑するのがわかった。

「つかまらないのはお前だろ」

と、言う。

「何度かかけたけど、いつも留守だった」

と。

「悪い。家に帰ってたんだ。でさ、同窓会やることになってさ、いまバイト先でゆっくり喋《しゃべ》れないから用件だけ言うな。さ来週の金曜日、六時から。来られるだろ？　地図は郵送するからさ。内田も来るらしいよ。うん、俺が幹事。知るかよ。急に電話かかってきて、やれっていわれて。また電話するよ。あ、このあいだは由利がつまんないこと頼んで、うん、すげえ喜んでたみたい。じゃ、切るけど、え？　うん、元気元気、お前は？　詩史さんによろしくって言ってもどうせ伝えてくれないんだろうけど、とにかくさ来週の金曜だから、そのときに。うん。じゃあ、切るな」

受話器を置いた。フロアの喧噪《けんそう》が、事務所にも届いている。学生の団体が入っているのだ。耕二は鏡をのぞき、髪を整えた。

「心配したのよ」

昼間、思うさま奔放に愛しあったあとで、喜美子はもう一度そう言った。

「耕二くんに何かあったらって、そう思っただけで身体がふるえたわ」

喜美子は、いつもより小さく、はかなげにみえた。耕二の肩に頭をのせ、身体をぴったりくっつけてきた。

「耕二くんにはわからないわね。欲望も。若いひとにはきっとわからない」

身体を起こし、顔にかかった髪をよけてやると、喜美子は心地よさそうにあごを上げた。

「若いひとって、喜美子さんまだ三十五じゃん」

喜美子はくすくすと笑った。つぶっていた目をあけて、耕二をみつめると、

「三十五の女の欲望なんて、耕二くんには絶対わからない」

と、言った。その口調はどこか可笑《おか》しがっているようであったにもかかわらず、そこには、一瞬、耕二をひるませるものがあった。

「欲望なら負けない」

とりあえずそう言ってまたおおいかぶさってはみたものの、たったいまひるんだ気持ちはいかんともし難く、喜美子は自分の手に負えないかもしれない、という、すこし前からうすうす感じていた危惧《きぐ》を、耕二は、かなりはっきり意識したのだった。

「おはようございまーす」

バイト仲間が入ってきて声をだした。

「おはよーう」

事務机、応接セット、灰皿、ゴミ箱、ロッカー。サッシ窓のすぐ外側の、いかにもいかがわしいネオン。テーブルには誰かの食べたフライドチキンの残骸《ざんがい》があり、部屋には匂《にお》いがこもっている。

耕二は頭をアルバイト用に切り換えて、混雑したフロアにでていった。

14

生々しい、というのが、同窓会に出席した透の、気圧《けお》されつつ抱いた正直な感想だった。耕二のバイト先――一階がゲームセンター、二階がビリヤード場で、三階がパブ、四階がボウリング場になっている――に集まったかつての高校生たちは、親しかった奴《やつ》も親しくなかった奴も、みんな生々しく二十歳になっており、再会の気分的高揚も手伝ってか、男も女も、周囲から浮くほどに派手で賑《にぎ》やかに思えた。透には、自分がその一人だとはとても思えなかった。

おもては雨が降っている。べたりとして脂《あぶら》ぎったピザや、女の子たちの飲んでいる下品な色のカクテル、照明の暗い店内に、耳障《みみざわ》りなヴォリウムで流れてくる音楽。

つい、耕二の姿を目で追っている自分に気づいた。耕二をみると、ほっとする。ほとんどが大学生になっている、そのかつての同級生たちは、透の目に、高校生だったころの方が賢そうだったように映る。賢く、一人前だったように。

どうしてるの？　学校は楽しい？　彼女は？　就職どうするの？

おなじような質問に、その都度まじめな顔で――しかし、その実おざなりに――こたえながら、透はもう二時間も、一つの席に座っている。

詩史さんに会いたい。

それればかり思いながら。

詩史がこれをみたら何と言うだろう。想像すると、すこし元気がでる。詩史はまず両手を腰にあて、眉《まゆ》を軽く持ち上げて、「料理はまずそうね」と、言うかもしれない。でもそれからふいに目をほどいて微笑《ほほえ》んで、「みんな若々しいのね」と、言うだろう。勝手に椅子《いす》に座るかもしれない。必要とあらば、詩史はここにとけこむだろう。一人ずつの話を、興味深そうに聞くだろう。

そんなふうに考えて、透は時間をやりすごすのだった。

透は、いかにも居心地が悪そうに、背中をかがめて座っている。席を立ちもしない。あいかわらず非社交的なガキだ、と、耕二は思う。一応テーブル席ではあるものの、衝立《ついたて》で仕切られた奥半分貸切り状態の、こういう場所では動きまわって半ば立食し、まんべんなく顔をみせてやるのが常識だろう。

幹事である上に司会で、ピンクのポロシャツという、学校ではついぞ見たことのないはりきった恰好《かっこう》で現れた担任の面倒もみなければならず、場所が自分のバイト先であるために、なんとなく従業員にも気を遣ってしまう立場の耕二としては、それらもろもろの厄介事と無関係で、いつもながらぼんやりとただ座っている透が、腹立たしいというかうらやましいというか興味深いというか、ともかく何だか目立ってみえるのだった。

おまけに。

さっきから感じている視線は吉田のもので、ちょっと気まずいことのあったこの女友達――厚子さんの娘――には、自分の方から話しかけて気を楽にしたいところなのだった。

それにしても騒々しい。いくら三年ぶりに顔をあわせたからといって、こうまでテンションを上げることもないのに、と、耕二は内心辟易《へきえき》する。もっとも、幹事としては喜ぶべきことなのだろうが。

肩をたたかれ、ふり向くと吉田が立っていた。派手な化粧やミニスカートで、いかにも変身しましたという女が多いなかで、吉田は全然変らないように思えた。黒々したおかっぱ頭。

「元気？」

落ち着いた声で訊《き》かれた。元気元気、とあかるくこたえるつもりだったのに、自分でも驚いたことに、耕二は沈黙してしまった。

「ひとり暮らししてるのね」

ついさっき配られた、新しい住所録をみながら吉田は言った。

「あ、ひとりじゃないかもしれないけど」

ひとりだよ、と、とりあえずこたえた。お前は？　と訊き返す余裕は、どこにもなかった。今度飲もうよ、とか、ちったあ色っぽくなったじゃん、とか、他の女になら考える前に言える軽口も、ひとこともでなかった。

お父さんがかわいそうだわ。

そう糾弾されたのは、校庭の隅、食堂の窓の前だった。

吉田には悪いことをした。耕二は本気でそう思っていた。

「いいお店ね。バイト先なんですって？」

うん、と、こたえた。吉田は微笑んでいたが、目は耕二を許していなかった。それはわかった。どんな軽口も、ましてや言い訳も、許さない、と、彼女は全身で告げていた。無論謝罪も、聞いてはもらえないだろう。

「九時までてでしょう？」

まわりを見まわしながら、吉田は言った。

「幹事さんはそろそろしめなきゃいけないわね」

歩き去る吉田のおかっぱ頭を見送りながら、耕二は心からほっとしていた。厚子さんはどうしているのだろう。

そう思った。

二次会の会場であるカラオケ屋に、透の姿はなかった。耕二は二曲歌った。そのあとさらに居酒屋の座敷に移り、六人という疲労した人数——なんとなく納得のいく、帰りたがらない面々——で少し飲んだ。そこにも吉田はいた。意外にも酒に強く、顔色一つ変えずに座っていた。

「昔、私ちょっと耕二くんに憧《あこが》れてたんだけど」

などと言い、場を盛り上がらせていた。

これはもういじめだ。

耕二は思ったが、なす術《すべ》はなかった。

雨は降り続いている。透は、電話ボックスから詩史に電話をかけた。詩史から、もう随分連絡がない。電話をかけようとするだけで動揺するのはどういうわけだろう。

透は逡巡《しゅんじゅん》し、自分の不甲斐《ふがい》なさにため息をつく。電話ボックスのガラスにつく水滴は、どういうわけか、いつもやけにこまかい。怖いのは不在ではなく応対だった。おどろいたような、あるいは困惑したような、詩史の声はききたくなかった。よそよそしく、あるいはあわただしく、応対されることもたまらないと思った。それで、発信音がきこえた途端、透は不在をほとんど願った。留守なら、ちょっとがっかりするだけですむ。

静かな声が、はい、とこたえた。

「詩史さん？」

まができた。その一瞬に、詩史がゆっくり両目を閉じたことがわかった。

「こんばんは」

そのひとことはあきらかに透に対してだけ発音される発音で口にされ、つづけて、

「嬉《うれ》しいわ」

と言った詩史の声は、心から嬉しそうだった。それだけで、透は全面的にみたされてしまう。軽井沢も、そのあと放っておかれたことも、たちまちなかったことになった。

詩史は、部屋で一人で飲んでいるところだと言った。うしろに、しぼったヴォリウ

ムで音楽がきこえる。バッハよ、と、詩史は言った。

「一人なの？」

ばかみたいにもう一度訊いてしまったのは、以前詩史が、夫と毎晩酒を飲むのが習慣になっている、と言っていたのを思いだした——というより片時も忘れたことがない——からで、しかし詩史はあっさりと、

「そうよ」

と、こたえただけだった。

「会える？」

思いきって透が尋ねると、ややあって、

「いいわね」

という返事がかえった。微笑を含んだ声だった。三十分後に『フラニー』で。そう約束して電話を切った。

雨は、ついさっきまでとは全然違う様子で透の傘を打つ。夏の夜をひやす、あかるく爽快《そうかい》な雨足。

『フラニー』の重い扉をあけると、店内は混雑していた。金曜の夜なのだ。透には、

そこにいる男や女が――ことごとく透より年上の、てんでに飲んだり喋《しゃべ》ったりしている――、この地下のバーで、何かを共有しているなつかしい仲間であるような気がした。ここはいつも変らない。ピアノ、カウンター、花びんに活《い》けられた巨大な花。

注文したビールが運ばれたとき、詩史が来た。どんなに店が混んでいても、詩史さんの気配はすぐにわかる、と、透は思う。ふり向いて見なくても、ちゃんとわかる。

「土砂降りね」

詩史は透のうしろに立つと、肩に片手を置き、頭の近くでそう言った。

隣に腰かけた詩史は、しかし少しも濡《ぬ》れていなかった。白いTシャツもベージュのパンツも、まるで乾燥機から出したてのように乾いて気持ちよさそうにみえる。マンションの前でタクシーに乗り、店の前で降りたのだろう。

「どうしてた？　元気だった？」

詩史はあかるい声で訊き、ウォッカを注文して、スツールをまわすと透をみた。指に、随分大きなダイヤモンドの指輪が一つ、はめられている。

透は返事ができなかった。詩史には嘘《うそ》をつけないのだ。

普段と変らない詩史をみて、ふいに恨みがましい気持ちが湧《わ》いた。

帰ったら電話をするわ。

あのとき、軽井沢で、詩史はそう言ったのではなかったか。

「怒ってるの？」

詩史は訊き、しかしそれは質問ではなかったとみえて、透の返事も待たず、

「怒ったりしないで」

と、つづけられた。

「たのしかったじゃない？」

と。

たしかにたのしかった。とてもほんとうとは思えないくらい幸福だった。透は思いだし、幸福と不幸の区別がつかなくなって困惑する。

「でも」

やっと言葉が口をついてでた。次のひとことに、透は自分でおどろいたのだが、言った途端に、それが自分の感じていたことだとわかった。

「でも、僕は捨てられた」

詩史は両目を大きくみひらき、ついでに口も少しあけた。びっくりして言葉がでないようだった。やがて、大真面目《おおまじめ》に、

「誰も誰かを捨てることなんてできないわ」

と、言った。

「別々の人間なのよ。二人の別々の人間がいて、そこに途中でもう一人来て、あのときあそこに三人の人間がいた。それだけのことなのよ」

その言葉は、透には何の意味も持たなかった。自分はあのとき捨てられたのだ。何日も正体のわからなかった孤独の、正体がわかった。透は奇妙に落ち着いていた。

「これからもたぶん、何度も捨てられるんだろうな」

詩史は、くわえかけた煙草《たばこ》をカウンターに置いて、透をみつめた。

「けんかをしたいの？」

透は微笑んだ。

「ちがうよ。事実を述べてみただけだよ」

ピアノが流れている。まわりは依然として騒々しい。

「でも」

詩史をみつめ返して、透はしずかに、心から言った。

「でも、会いたかった」

みつめあう恰好になった。詩史は一瞬空白の表情を浮かべ、それからとても傷ついた顔をした。

「やめて」

小さな声で言い、煙草をくわえかけて、また戻した。

「やめて」

と、くり返す。

「かなしくさせないで」

透は、突然、自分がひどいことをしたような気がしてうろたえた。責めるつもりではなかった。それで、

「ごめん」

と、謝った。沈黙が続き、ぬるくなったビールを啜《すす》った。

「乱暴なのね」

詩史は言い、ダイヤモンドつきの指で髪をかきあげた。ようやく煙草に火をつける。

「透くんの夢ばかりみるのよ」

透には、あまりにも思いがけない言葉だった。

「仕事をしていても、ついあなたのことを考えてしまう」

軽井沢でだって、と、詩史はつづけた。

「突然あなたのいなくなったそのおなじ場所で、何もかもがもう全然ちがうのにその

おなじ場所で、私はあのあと何日も生活したのよ。あんなふうにあなたを帰してしまったあとで、一人で」

理屈に合わないことではあったが、透は、自分が詩史を置き去りにしたことを悔んだ。連れ去れなかったことで、ほとんど詩史に気がとがめた。

「会いたかったわ」

詩史が言った。人目もはばからないキスをした。ひどくかなしかった。

翌朝、耕二は母親からの電話で起こされた。雨は上がり、青空に入道雲が浮いている。

「まだ寝てたの?」

ゆうべはひさしぶりに飲んだ。アパートに戻ると午前二時をすぎていて、そのまま倒れるように寝てしまった。

「いま起きるとこだった」

ガラガラの声がでた。

「いやだ、きたない声ねえ」

母親は言い、次に何か言いかけて、気を変えたらしく黙った。

くれよ。

「何？　どうしたの」

めんどくせえなあ、と思いながら尋ねた。言いたいことがあるならちゃんと言って

「それがねえ」

母親はため息をついた。またしてもその先を言わず、

「隆《たか》ちゃんから何か連絡あった？」

と、訊《き》く。

「隆志から？」

耕二は、兄と最後に会ったのが結婚式だったことを思いだした。

「ないよ」

と、こたえる。

「どうかした？」

母親はややためらったあと、

「それがねえ、追いだされてきちゃったのよ」

と、言った。

「嫁さんに？　なんで？」

兄が結婚して、まだ二月しか経《た》っていない。

「言わないのよ。隆ちゃん」

耕二は頭をかいた。

「よくわかんないけどさ、そんなに心配することないと思うよ。夫婦げんかなんてよくあることなんじゃないの?」

「でもねえ、早紀さんも何も追い出さなくたっていいだろうと思うのよね」

耕二は天井をあおいだ。下らない。

「隆志から俺に連絡があるとも思えないけど、あったら母さんに知らせるよ」

とりあえずそう言ってみた。

「ほっとく方がいいと思うよ、そんなの」

電話を切ると、横でもぞもぞ動くものがあった。吉田だった。耕二は、全身に鳥肌が立った。おどろきのあまり口もきけなかった。

でも、ともかく、二人とも服は着ている。

凍りつき、思考が停止した一瞬のあと、耕二の頭に最初にうかんだのはそのことだった。

15

透と詩史には行く場所がなかった。

『フラニー』をでて、少し歩いた。依然として雨が降っていた。一本の傘の下で、透の鼻先を詩史の香水の匂《にお》いが淡く漂っている。いつものように、一万円札と共に大人しくタクシーにおしこまれるつもりはなかった。今夜ようやくとり戻した詩史を、夫の元に返すつもりなどなかった。

しかし、透と詩史には行く場所がなかった。詩史のマンションには浅野が、透のマンションには母親が、そろそろ帰ってくる時間だった。歩道も車道も交差点も、信号も横断歩道も濡れて鈍い光を放っている。

「どこに行くの？」

詩史が訊いた。『フラニー』をでたとき、透は詩史に「来て」と言って、歩きだしたのだった。あてがあって言った言葉ではなかった。帰すつもりはない。そう言いたかったのだ。

透は、そういうホテルに行ったことがない。行ったことはないが、どういう場所かは知っている。あまりにも安直な場所だ。透は、詩史をそんな場所につれていきたくはなかった。これはそれとは違うのだ。世間に掃いて捨てるほどいるらしい、不倫関係の男女とこれは、あまりにも似ていない。

「来て」

透はもう一度言い、タクシーを停めた。

詩史は不安そうな面持ちで、それでも車に乗り込んだ。傘をずっと詩史に傾けていたために、透の体は左側がずぶ濡れになっていたが、その努力にもかかわらず、詩史の衣服はもう乾燥機から出したてのようには見えなかった。透は、詩史を安全な場所からひっぱりだしてしまったことに、罪悪感と乱暴な達成感を両方感じた。

「近くに父親の事務所があるんだ。この時間なら、もう誰もいないと思うから」

運転手に住所を告げたあと、透は詩史に、そう説明した。詩史は何も言わなかった。車の中は雨の匂いがこもっている。

罪悪感と達成感は、どちらもどんどんふくらんで、透の身内で暴れた。こんなふうに詩史をつれだすのは初めてのことだった。レストランにも、バーにも、つれだすのはいつも詩史の役だった。透は待っている以外術《すべ》を持たなかった。パーティだの、誰それの個展だの。

透は、詩史の湿った肩を両腕で抱き、安心させるように湿った髪に唇をつけた。まるで、不安と興奮にさいなまれているのが自分ではなく詩史だとでもいうように。ワイパーのこすれる音がしている。なめらかに濡れたフロントガラスごしに、東京タワーが半分、朱色の光をにじませて、見えていた。


詩史を車の中に待たせ、透は父親の住んでいるマンション——事務所から、歩いて十五分ほどの距離にある——に、鍵《かぎ》を借りにいった。住処《すみか》を訪ねるのは、はじめてのことだった。

「ちょっと、事務所を借りたいんだけど」

玄関に立ち、それだけを言った。すでにパジャマ姿でくつろいでいたところらしい父親は、おどろいた顔で、今か？　と、訊いた。

「うん。今」

玄関には、女物のサンダルと、子供用の運動靴が置いてあった。下駄《げた》箱の上に、干《え》支《と》の人形。

「何のために？　誰かと一緒なのか？」

廊下の壁に、毛針の額がかかっている。

言い訳は用意していなかった。それで、黙り込んでしまった。

「つまり」

父親が言った。

「雨やどりか」

かすかに苦笑を含んだ声だった。透はどうしていいのかわからず、

「こんな時間に、ごめん」

と、言った。

「随分切羽詰まってるんだな」

父親は言い、今度ははっきりと苦笑した。

「泊るなら、母さんに連絡しろよ」

するつもりはなかったが、うなずいた。父親は鍵を貸してくれた。すりきれた、サーフボード形のキーホルダーについていた。

詩史は車の中で待っていた。

どういうわけか、透にはそれが意外だった。もし詩史がいなくなっていても、自分

はおどろかなかっただろうと思った。

「借りられた？」

詩史が訊き、透は鍵を見せた。

「見せて」

鍵を受けとり、詩史はそれをしばらく眺めていたが、やがてくすくすと笑った。

「設計事務所？ それで私たちこれからそこにいくのね。信じられない。そんなのとっても可笑《おか》しいわ」

透もつられてすこし笑った。

「設計事務所？ それどんなところなの？ 私たち一体どうしてそんなところにいくの？」

詩史は何度もそう言った。陽気な、かなしそうな、そして、とても小さな声で。

ガス台に、コンロは一つしかなかった。透はやかんで湯をわかし、インスタントコーヒーを二つ、いれた。

事務所は狭く、雑然としている。着いてすぐ、革張りのソファで愛しあった。待てなかった。そのために来たのだといわんばかりだった。

蛍光灯は白すぎたし、あかるすぎた。窓に降りたブラインドは、上げても狭い路地が見えるだけだった。事務机も製図台も、紙だらけで散らかっていた。大きなコピー機は目障《めざわ》りだった。

詩史の乳房は、ふっくらとまるい。よく手入れのされた肌は白くすべらかで、甘い匂いがする。その部屋の何もかもが詩史の身体《からだ》にあまりにも不似合いで、そのことが一層透をかきたてた。白いTシャツをまくりあげ、詩史の胸に顔をこすりつけた。Tシャツは、最後まで脱がれずにそこにあった。間接照明のみで美しくしつらえられた、詩史の寝室の広いベッドでする行為と、それは全然別のことに思えた。

「はい、コーヒー」

カップを手渡すと、詩史は微笑《ほほえ》んでそれを受けとった。化粧が落ち、素顔のようにみえた。

「知ってる?」

詩史が言った。

「食事をしてはげた口紅は、ぬり直せばすぐに元に戻るの。でも、こうやってとれた口紅は、ぬり直そうとしてもなかなかつかないのよ」

透の耳に、それはとても幸福なことのようにきこえた。口紅なんか、詩史さんはつける必要はない。

熱いインスタントコーヒーは、なつかしく安心な味がした。

「これをのんだら、行かなくちゃ」

つぶやくように、詩史が言った。時計は、午前二時近くをさしている。

「もう少し、いて」

透は言ってみた。

「朝まで。そうしたら送っていくから」

詩史はとりあわなかった。微笑んで首をふり、無理よ、と、言う。

「いくら不良妻でも、無断外泊はできないわ」

「じゃあ電話をすればいい」

普段に似ず、透はなおそう言った。

「無理よ」

詩史はくり返し、コーヒーカップを床に置いて立ち上がった。

「一緒に暮らそう」

言葉が、いきなり透の口をついてでた。沈黙がおとずれ、やがて詩史が外国人のように両手を上げた。

「勘弁してちょうだい」

透はしなかった。詩史を、浅野の元にいかせたくなかった。互いに立ち上がった姿勢のまま、じっとみつめあった。どうしても、帰したくなかった。

「ごめん」

気がつくと、しかし透はそう言っていた。

言葉は、いつも透を裏切るのだ。

冷房のきいた喫茶店の窓際《まどぎわ》の席で、由利は九八〇円のランチセット――エビグラタン、コンビネーションサラダ、パン、コーヒー――を口に運びながら、たのしそうに喋《しゃべ》っている。

「きのうの同窓会、どうだった？」

席に座るなりそう尋ねられたときはどきりとしたが、動揺する理由はなにもない、と自分に言いきかせ、

「まあ、あんなもんじゃねえの？」

と、こたえておいた。事実、同窓会自体は無事にすんだのだ。

「これ、おいしいよ」

ぐちゃぐちゃの物体、と耕二の目に映るグラタンを、由利はフォークですくって突きだした。宿酔《ふつかよ》いの何たるかを由利に説明するのが億劫《おっくう》だったので、耕二はそのさしだされた物体を、いやいやながら口に入れてのみこんだ。吐き気がし、あわてて水をのむ。

「そういえば、橋本さんの彼女っていう人に会った？」

由利はかまわず喋っている。

「いや、まだ会ってない」

大学生活三年目にして初めて橋本に彼女ができた、という最近の重大ニュースは、それを聞いたときの耕二には十分興味深くおもしろく、会わせろとか呼びだせとか散々橋本をからかってうるさがられたのだったが、いまはもう、たいして興味が持てなかった。

「どんなひとかなあ」

ああ、とか、うん、とか、生返事をして、耕二は窓の外を眺めた。ゆうべの雨が嘘《うそ》のような快晴だ。温度が高すぎて、空気がゆらゆらしてみえる。

吉田は、おかっぱ頭をすこし乱して、

「おはよう」

と、言った。服は着ていたが、おなじベッドで寝ていた。耕二には、その説明になりそうな記憶はなにもなかった。

「なんで?」

それでそう言った。

「なんでここにいるの?」

吉田は、にたり、としか形容しようのない笑顔をみせ、

「大丈夫。なんにもしてないよ」

と、言った。それは耕二の質問に対するこたえではなかったが、ほっとした耕二はついほっとした顔をしてしまい、またしても吉田ににたりとされる始末だった。

耕二は、由利用、と言って由利の買ってきた紅茶をいれ、吉田にだしてやった。

「三次会のあと、もう電車なかったから、どうしようっていう話になって、耕二くんタクシーで帰るって言うからお金あるのって訊《き》いたらあるって言って、私お金なかったからないって言って、乗せてってよって言ったら俺んちまでならって言うから、耕二くんちでいいよって言って、それで私はここにいるの」

「由利用」の紅茶をのみながら、吉田はそんなふうに言った。ぐずぐずと句読点なしで喋るので、理解するのに努力が要った。それでなくても頭痛がしているのだ。もう

昼ちかく、昼には由利と約束をしている。

「他の奴《やつ》らは？」

耕二が尋ねると、知らない、とあっさりこたえて、吉田はまたにたりと笑うのだった。

紅茶をのみおわっても、吉田は帰ろうとしなかった。

「お母さん、何だって？」

電話を聞いていたとみえ、そんなことを言った。辛うじて自分を取り戻していた耕二は、

「関係ないだろ」

と、言い捨てたのだった。

苦々しい気持ちで煙草《たばこ》に火をつける。

帰り際、吉田は玄関で、

「泊めてくれてありがとう」

と、言った。

「また仲良くしようね」

と。

「耕二くん、機嫌わるいの?」

由利が言った。エビグラタンは、もう食べおわっている。まずい、と思った耕二は、

「悪いわけないじゃん、由利に会えたのに」

と言って煙草を灰皿でもみ消す。

「ゆうべ飲みすぎてさ。幹事だったし」

「疲れちゃったの?」

不審と心配が半々の、由利の顔がまっすぐ自分をみつめていた。

「バイト、夕方からだよね」

紙ナプキンで口を拭い、甘い口調で由利は言った。

「はやく耕二くんのお部屋にいってくっつこう?」

甘えるというよりいたわる気持ちなのがわかった。今朝の部屋に戻るのは気が進まなかったが、どうして嫌だと言えるだろう。


オリビア・ニュートン・ジョンの「ジョリーン」は、詩史の好きだと言った曲だ。

午後。

ばかみたいに日のあたるリビング・ルームで、透はCDを聴いている。

結局詩史は帰らなかった。夜明けまで、ソファで抱きあっていた。セックスではなく、文字どおり、ただ互いに互いの身体を抱きしめて横たわっていた。他にどうしようもなかった。かなしかったし、詩史もかなしがっているとわかった。離れられなかった。

「ずるいわ」

透が「ごめん」と言ってしまったあと、詩史は半ばうめくようにそう言った。

「そんなところで謝るなんてずるいわ。帰れなくなっちゃったじゃないの」

ダイヤモンドをはめた指で、髪をかきあげた。

「ひどいわ。乱暴なのね」

泣きだしそうな顔にみえた。髪も服もくたびれた様子で、全然いつもの詩史らしくなかった。

「ごめん」

透はもう一度謝った。そして、泣きだしそうなのは自分だと気づいた。

それからキスをした。何度もキスをした。ソファにもつれこみ、透は、自分の腕が詩史を抱き壊すのではないかと思った。詩史の両手は、透の頬をはさんでいた。詩史の唇は、とても無防備な何かだった。キスの合間に、詩史は何度も愛していると言った。滅茶苦茶《めちゃくちゃ》に愛している、と言った。こんなの信じられないわ、と。

どうしようもない数分が去り、キスが止《や》んでも、どちらも起きあがろうとしなかった。

「重い？」

透が訊くと、詩史は首を横にふった。

「これ、いいソファね」

ソファはいかにも安物で、小ぶりだったが二人分の身体がぴったり収まった。

透はそのまま目をとじた。詩史の腕に、頭を抱かれながら。

「こうやって一緒に生きてるわ」

ひっそりと、詩史が言った。

「一緒に暮らしてはいなくても、こうやって一緒に生きてる」

透は、返事をしなかった。

身体の位置を変えたり、頬や額に唇をつけたりしながら、すこし眠った。窓の外が青くなり始め、また、インスタントコーヒーをのんだ。そこに、他にのみものがなかったのだ。雨はもうあがっていた。

「電話、かけたい？」

透が訊くと、詩史はわらって否定した。

「帰った方が早いわ」

透も、今度はひきとめなかった。

おもては、空気が澄んで青あかるく、涼しかった。何もかもまだびっしり水滴をつけていたが、いい天気の一日になるとわかった。鍵《かぎ》は、父親に言われていたとおり、郵便受けに落とした。詩史と二人で。

車の来る通りまで、指をからめたまま歩いた。孤独なような、みちたりているような、不思議な気持ちがした。

夜明けは、都心の裏通りにさえ清潔な静寂をもたらす。

「先に乗って」

大通りでタクシーを停め、透は言った。あのときの詩史の表情が、透の頭から離れない。母親のいない自宅のリビング・ルームで、オリビア・ニュートン・ジョンを聴いている透の頭から。

あんなに淋《さび》しい顔で微笑《ほほえ》むことは、詩史以外の誰にもできないと思う。

タクシーの、開いたドアの前で詩史は微笑んだ。そして透をまっすぐにみて、

「孤独ぶりたがりのティーンエイジャーとはちがうから、私はもう一人ではいたくな

いの」

と、言った。車に乗ると、詩史は、

「電話をありがとう」

と、言い、

「電話するわ」

と、言った。前を向いて運転手に行き先を告げ、シートにもたれると、もう振り返らなかった。ドアが閉まり、タクシーは走り去ってしまった。

それはいつもの詩史だった。服はしわがより、化粧もとれたままだったが、それはいつもの詩史だった。美しい、落ち着き払った、そして大人ぶった――。

16

商社の専務の「まあおじさん」との、二度目の会食場所はフレンチレストランだった。専務のほかに、部長も二人来た。ちぎったパンにこってりとバターをのせて口に入れながら、耕二は、ここに就職するのかもしれない、と、考えていた。ここに就職したい、ではなく、しなければならない、でもなく、するのかもしれない、と。意志や努力は、発揮する方向が定まってから発揮すべきものだ。耕二はそう思っている。耕二の父親はスーツを着ているが、サンドベージュのシルクシャツとオーデコロン、それに金色の腕時計と指輪のせいで、とても堅気にはみえない。能力さえあれば人間は自由なのだ。耕二は父親に、そう教わってきた。

会食は雑談に終始した。時折耕二に向けられる質問も、どこのサッカーティームが好きかとか、ガールフレンドはいるのかとか、どうでもよさそうなことばかりだった。履歴書は前回提出済みなので、訊きたいことは、もうたいしてないのだろう。

「まあ、試験次第ですからね」

いざ席を立つ段になって、まあおじさんは言うのだった。

同窓会の夜から二週間がすぎていた。吉田とは、あれ以来会っていない。しばらく喜美子をほったらかしだったので、この二週間は喜美子の機嫌をとるのに大変だった。なぜ機嫌をとってしまうんだろう。

耕二は自分で腑《ふ》に落ちない。正直なところ、もはや会うことさえ億劫《おっくう》なのだ。喜美子はストレートすぎる。年上なのに、全然年上らしくない。

厚子は遠慮がちだった。耕二にふさわしいのは自分ではないと知っていた。無論その当時はその遠慮に切なさと苛立《いらだ》ちを覚えたし、いいから、と、耕二は厚子に何度も言った。いいから、厚子さんは余計なこと考えないで、と。大丈夫だから、俺がいつか大丈夫にするから、と。本気だった。言葉を口にする瞬間は、耕二はいつも、本気なのだ。

関係が吉田にばれて騒ぎになったとき、耕二はどこかでほっとしていた。いつまでも隠し果《おお》せるものではなかった。厚子の方でもそう思っていたに違いない。私は大丈夫だから、と、言った。厚子は大人だった。

それにひきかえ、喜美子。耕二はため息をつく。

きょうにも別れ話をしようと考えながらでかけるのに、顔をみた途端にそんなことはどうでもよくなってしまう。双方が強く欲していることなのだから、ともかくいまはセックスをしよう。別れ話はそのあとでいい。そんなふうに思えてしまうのだ。

ベッドの上で、耕二も喜美子も情熱的だ。互いの肉体に対する愛情が、自分でも御せない勢いで溢《あふ》れでてくる。まるで喧嘩《けんか》みたいね。いつだったか喜美子はそう言った。ベッドで甘い言葉を吐くのは耕二の得意とすることだが、喜美子とのそれは、きまって途中で耕二からその余裕を奪う。甘い言葉どころではないのだ、実際。最後には二人とも呼吸困難寸前みたいな有り様で息をはずませて、ベッドの端と端にころがる。ほんの一瞬だが、そのときだけ耕二は喜美子を世界でいちばん愛しているように思う。全身で。

そんなことのあったあとで、別れ話などできるはずはないのだった。うしなえない、と、耕二は思う。自分は喜美子をうしなえない。たとえいつか別な女と結婚しても、喜美子との肉体関係はうしなえない、と。

「アパートに帰るのか?」

「まあおじさん」たちと別れると、父親が尋ねた。他に一人も喫煙者がいなかったために、さすがに我慢していた煙草を一本、深々とすいこみながら、耕二は、うん、と、こたえた。

「あした早いんだ。ちょっと約束があって」

由利と、早朝のテニスをすることになっている。父親は、そうか、と、言った。俺が小言を食らうんだが、と。

耕二は、ふふふ、と笑っておいた。軽い謝罪を込めたつもりの、でもまあ主に同情の笑いだった。冷房のきいた店内からでたばかりなので、夜気がむわりと生暖かい。

「腹に据えかねるんだろうな」

お袋、という主語を省いて、耕二は言った。

「ゆうべも電話で早紀さんのことを滅茶苦茶言ってた」

兄の隆志は、新婚三カ月目にして離婚の危機だ。本人が説明しないので、原因がよくわからないらしい。新居を追いだされ、実家に身を寄せている。

「大変だねえ。上は出戻ってくるわ、下は就職するわ」

「やんちゃな弟」にふさわしく、他人事《ひとごと》みたいな調子で耕二は言った。

「まったくだ」

苦々しい表情で父親はこたえた。苦笑も微笑も含まない、純然たる苦々しい表情だった。

おなじころ、透は自室で途方に暮れていた。そしてまた、自分はここに閉じ込められてしまった、と、考える。九月。詩史からは何の連絡もない。孤独ぶりたがりのティーンエイジャーとは違うから、私はもう一人ではいたくないの。

詩史の言葉が頭から離れない。

透はあのとき、一人で生きろと言ったわけではない。一緒に暮らそう、と、言ったのだった。詩史にとって、自分はつまり数えるに足らない存在なのだ。そう思うと気が狂いそうに腹が立った。しかも奇妙なことに、詩史にではなく自分に、腹が立つのだった。

枕元《まくらもと》には、詩史が好きだと言った本が七冊、積みっぱなしになっている。

一緒に暮らそう。

それは、考えて口にした言葉ではなかった。気がつくと、そう言ってしまっていた。いまの透にとって、しかしそれはきわめて現実的な、それ以外にないと思われる発案だった。そうしていけない訳が、どこにあるだろう。

もう一度あらためて、詩史さんにちゃんと話そう。透はそう決めて、ベランダにでた。星がでている。詩史さんがそうしたいとさえ思ってくれれば、他の人間がどう思おうとかまわない。だってそうではないか。

透は、こんな状態にはもう耐えられそうもなかった。そろそろはっきりさせるべきときなのだった。


翌朝は快晴だった。

由利のテニスは少女趣味だが、意外にもパワーテニスだ。コートじゅうを走りまわり、体勢が崩れても打ち返してくる。非力なので両手で打つようコーチに言われた、というバックハンドにしても、両手で打つ分力強くて球足が速い。ネット際《ぎわ》のプレイはとくに上手《うま》くて、ヨレヨレに見えるので油断していると、ふいに鮮やかに決められる。

「上手くなったじゃん」

ほめてやると、由利は嬉《うれ》しそうに笑顔をみせた。

「一杯練習してるもん」

息をはずませながら言う。

「でも耕二くん意地悪だね。私からいちばん遠い場所に打つ」

まだ八時なのに、もう太陽が照りつけている。

「きょうはこのくらいにしとく？」

尋ねると、由利は即座に首を横にふった。

「もう一回して」

語尾を上げるように言った。由利には清潔なタフさがある。耕二はそこが、好きなのだった。

シャワーを浴び、クラブ内の喫茶店でモーニングセットを食べた。それから、新しいスニーカーが欲しいと言う由利の買物につきあってやって、別れた。由利は、午後、女友達と映画を観《み》にいく予定だと言う。耕二には、由利に言えない予定がある。こんなふうに朝っぱらからテニスをするのも、一日に二人の女と会うなどという振舞いも、学生の特権だ。耕二はそう思っている。

天気がいいせいか、気分もよかった。テニスで汗をかいたので、身体《からだ》も軽い。喜美子と約束している恵比寿まで、電車の中ですこし眠ろう。

白い木綿のぱりっとしたシャツは、いつか詩史にもらったものだ。

「一目見て、あなたに似合いそうだと思って」

詩史は言った。透はそれを、詩史と会う日に着たことがなかった。もらったものをちゃんと着ていると殊更《ことさら》にアピールするようで、なんとなく気がひけた。でもきょうは、それを着ていくつもりだった。シャツは何度も洗濯し、もう肌になじんでいる。

ゆうべ、透は詩史に電話をかけた、じっとしていられなかったのだ。もう、待てなかった。詩史は自宅にいて、浅野と酒をのんでいるところだと言った。先週はずっと出張に行っていたのだ、とも。

「東欧にいい家具があるの。素朴で、値段が手頃で。冬のディスプレイにぴったりのもの、他にもいろいろみつけたわ」

それはいつもの詩史だった。このあいだの出来事など、まるでなかったみたいな話しぶりだった。

「会いたいんだけど」

透が言うと、詩史は一瞬沈黙し、

「電話するわ」

と、言った。

「いつ?」

二度目の沈黙は、一度目のそれよりもながかった。

「あしたの夕方なら」

詩史は言った。

「一時間くらいしかないけど」

その一時間のために、透はここでまた電話を待っている。時間は、しかし問題ではなかった。たとえば三時間、たとえば五時間、たとえば十時間といわれたところで、十分とは感じられないのだから。帰らなければならない時間がくる。問題なのはそのことなのだ。

午後五時。空はまだ青く、セミの声がしている。くり返し再生、のボタンを押して、かけっぱなしにしているビリー・ジョエルにうんざりしかかったころ、詩史から電話がかかった。三十分後に『フラニー』で。そう約束して、電話を切った。

いつもとは、違う気持ちで家をでた。透は詩史を奪いたいと思っている。奪う、と、決めている。

ベージュのシャツに茶色の革のパンツ、という恰好《かっこう》で、詩史はウォッカをのんでいた。

「元気だった？」

透を見ると、そう訊《き》いた。

「暑いわね。夏はなかなか終わらない」

隣のスツールに腰掛けて、透はビールを注文した。詩史の背中は小さくてきれいだ。

「お店から来たの？」

そうよ、とこたえて、詩史は透をまっすぐに見た。会いたかったわ、と言って首に腕をまきつけ、キスではなく、頰に頰をおしあてた。ベビードール、という名前の、最近詩史の好んで使う香水の匂《にお》いがした。

「旅は好きだったのに」

淋《さび》しそうに微笑《ほほえ》んで、詩史は言った。

「旅先で誰かが恋しくて、ああもうって、ああもう何で私はこんなところにいるのかしらって、思うなんて初めてだったわ」

煙草《たばこ》をくわえて火をつける。すいこんで、煙をゆっくりと吐き、

「元気だった？」

と、もう一度尋ねた。

「知ってるくせに」

透は、幸福な気持ちになってしまわないように気をつけながら、詩史の顔は見ずにそうこたえた。

「元気なはずがないって、知ってるくせに」

『フラニー』のカウンターは、透にとっていつのまにか親しい、よく知っている何かになっていた。なめらかな木目の、厚くてやわらかい、こげ茶色のカウンター。

「ここに住みたいと思うくらいだよ」

透が言うと、詩史は笑った。

「それから」

と、透は続けた。

「それから、僕ももうティーンエイジャーじゃない」

その言葉は、詩史に、透が考えていたような影響はおよぼさなかった。すくなくとも、およぼさなかったように見えた。詩史はバーテンにオリーブを注文し、旅先でみつけた羊の話を始めたからだ。それはごく小さい飾り物で、本物の羊の毛を、一切染めずに使ったぬいぐるみなのだそうだ。詩史はそれを、ウインドウ・ディスプレイ用に百匹買った。

「見にきてね」

詩史は言って、微笑んだ。透には手出しできない場所にいる、みちたりて幸福な女みたいに。

透は返事ができなかった。ややあって、詩史がしずかに口をひらいた。

「言ったでしょう？　一緒に暮らすことと一緒に生きることは、必ずしも同じじゃないって」

透は、正面に並んだ酒壜《さかびん》を見ていた。そんなのたわごとだと思った。

「誰と暮らしていても、私は一緒に生きたい人と一緒に生きる。そう決めてるの」

透の目に、詩史はきょう、はじめから結論を用意していたみたいに見えた。透の言葉に耳を貸すまいと決めていたみたいに。

「一緒に生きたい人と生活すれば？」

詩史の顔をみて訊いた。そして、すぐ、その質問を後悔することになった。

「じゃああなた、私たちのうちに引越してくる？」

詩史はそう言ったのだった。透をまっすぐに見つめ返していた。その顔には美しい微笑さえ浮かべていた。

透には、どうすることもできなかった。

吉田が再び現れたのは、耕二が由利とテニスをし、恵比寿で喜美子と抱きあった、そのおなじ日の夜だった。バイト先のビリヤード場に、いきなりやってきたのだった。

吉田は一人だった。耕二に酒を注文し、

「ゲーム、つきあってよ」

と、言った。

「そういうことはできないんです」

できない、を強くしてこたえると、距離をおいたつもりが、変に親し気に響いてしまった。まさに、昔の仲間のための言葉。

「いいよ、じゃあ」

吉田はふくれっつらをしてみせた。

「きょうはゲームはあきらめる。今度友達つれてくるから、いい」

今度。

店は台《テーブル》が半分がた埋まっていた。あちこちで、球をつく鋭い音がしている。

「何の用だよ」

不機嫌な声で訊いた。まとわりつかれるのは好きではない。まして相手が吉田では。

「いいじゃん」

吉田はにたりと笑った。緑色のタンクトップを着ている。胸がまるでないのが、逆にいやらしく見える。いやらしく、いたいたしく。

「いいじゃん。お客なんだから」

よくねえよ、と、こたえた。全然よくねえよ。

窓から新宿の、うらぶれた夜景がみえる。吉田は鞄《かばん》からメンソール煙草を出して吸い、すこし離れた場所に置いてあった灰皿を、自分で取らずに耕二に取らせた。

考えろ。耕二は自分の脳に命じた。吉田は一体どういうつもりなんだ？　何が望みなんだ？　何をしようとしている？

吉田はスツールをまわし、耕二に背中を向けて、店内を眺めている。その黒々としたおかっぱ頭の中で何を考えているのか、耕二にはまるで見当がつかない。

「吉田あ」

耕二は泣きを入れてみた。

「いやがらせはやめようぜえ」

吉田はふりむくと、また、にたりと笑った。

17

具のないオムライスと大根サラダを橋本のために作ってやりながら、お前はほんとに変わんねえな、と、耕二は文句みたいな口調で言った。

「ひとんちでテレビみておもしろい？」

橋本はこたえない。

「普通、彼女とかできたら変わるだろう？　会いたくてテレビどころじゃないとかさ」

耕二はオムライスが得意だ。左手で持ったフライパンの柄を右手で叩《たた》き、全体を上《う》手《ま》く揺らして玉子で飯を包み込む、工作的なところが得意なのだ。

「なんでそうだうだしてるわけ？」

橋本は、べつに、とこたえて起きあがり、できたてのオムライスにスプーンを入れる。

「水もらえる？」

午後三時。耕二は間食をする習慣がないので、橋本のみならず友人の多くが、この時間に腹を減らすことが解《げ》せなかった。

「だいたい、昼飯を抜くから悪いんだよ」

コップに水をくんでやりながら、言った。

「機嫌悪いなあ。女みたい」

その言葉は、耕二の癇《かん》にさわった。

「お前に女がわかるかよ」

橋本は黙った。オムライスの湯気で、眼鏡が一部曇っている。

「お前はいいよなあ。彼女にだけ気を遣ってればいいんだもんな。楽だよなあ」

本音だった。橋本は呆《あき》れ顔をしている。

吉田は、三晩続けてバイト先に現れた。ゆうべは現れなかったが、客が来るたびに吉田かと思ってひやひやした。一晩中。一体なんだって吉田のためにそんな思いをしなきゃならないのだ、と思うと不当な気がして腹が立ち、しかしいくら腹を立てても何の解決にもならないので苛立《いらだ》った。解決のための行動がとれない状態ほど、耕二を苛立たせ、疲労させるものはないのだ。

「食ったら皿洗っとけよ。俺、シャワーあびてでかけるから」

橋本は、おう、と、こたえた。

喜美子は、モスグリーンのブラジャーとショーツをつけていた。恵比寿で会ってすぐ、五反田のホテルに直行した。待ちきれず、車の中でもすこしいちゃついた。喜美子は運転しながら笑い声をたてた。

「会いたかった」

喜美子に、嘘《うそ》いつわりのない気持ちでそう言ったのは、随分ひさしぶりだった。耕二は、この部屋の清掃を担当したのは私です、という、従業員の名前入りのカードののっていたベッドに横たわり、自分がしばらく喜美子につめたかったことを反省した。喜美子の大胆さや率直さは、たしかに愛すべき何かだった。ひきしまった身体《からだ》や、力の強い腕も。

耕二が一瞬びっくりしたことに、喜美子は、ブリーフの上から、それをぱっくりとくわえた。思いがけない熱さに、耕二はうめき声をもらした。

耕二にとって、喜美子はわずらわしいことと無縁の女だった。会って、愛しあって、別れる。周囲に何の影響も持たない。吉田の出現も、由利や透や橋本も、大学やバイトや就職や、その他自分を自分たらしめているのであろう一切と、喜美子は無縁の場所にいた。

気がつくと、下着はすでに脱がされていた。耕二は手をのばし、喜美子を上にひっぱりあげようとした。

「来て。もうだめだよ」

喜美子は動かない。しのび笑いをもらし、耕二の下腹だの腿《もも》だのにやたらとキスをしながら、まだよ、と、言うのだった。

それは耕二が力ずくで状況を逆転させるまで続いた。喜美子との行為はいつもそうなのだ。どちらかが力尽きるまで、果てしなく貪《むさぼ》り、与え続ける。「強」にしたエアコンなど何の役にも立たず、しまいには二人とも汗まみれになった。

「大好きだよ」

すべてのあと、缶づめのイワシみたいにならんで横になったまま、煙草《たばこ》を喫《す》いながら耕二は言った。自分でも可笑《おか》しいほど甘い、みちたりた声がでた。

ほんとうにいつか、自分は喜美子と別れることができるのだろうか、と、考える。それは難しいことに思えた。いままでに経験したいくつかの別れや、あるいはいつか来るかもしれない由利との別れより、それはずっと難しいことに思えた。

「ケモノみたいな喜美子さんが、俺、大好きかも」

そう言うと、

「野獣に言われたくないわね」

という低い声が返った。

それでいて、しかし耕二には、自分がこの先、喜美子とずっとつきあっていくのだとか、旦那《だんな》と離婚させて結婚したいのだとかというふうには、どうもさっぱり思えないのだった。

喜美子は隣で耕二にぴったりくっついて、細い両足を耕二の片足にからめ、満腹の猫みたいに満足そうな顔をしている。

夕方遅くに耕二から電話がかかったとき、透は自室でビリー・ジョエルを聴いていた。ひさしぶりに飯でも食おう、と誘われて、ひさしぶりではないだろう、とこたえたのは、先月同窓会があったからだが、それは耕二に言わせると、

「つめてえ」

ということになり、

「だいたい二次会にも来なかった奴《やつ》がよく言うよな」

ということになり、たぶんそのとおりなのだろう、と、透は思う。詩史のいない場

所には、しかし透は、何の興味ももてないのだった。それで煮えきらない返事をした。ああ、とか、そうだな、とか。

「なんだよ、はっきりしないな。どうせ暇なんだろ」

耕二の声は大きい。どういうわけか、いつもきまって雑踏の公衆電話からかけてよこすので、まわりの騒がしさに負けじと、半ばどなるように話す。

結局、高校のそばのラーメン屋にいくことになった。かつて、図書館の帰りに、予備校帰りの耕二と合流して寄った店だ。

透は、着ていたTシャツとジーンズの上に、紺色のサマーセーターを羽織ってでかけた。夏の夕方は、銭湯みたいな匂《にお》いがする。

地下鉄を二駅だけ乗って降り、改札口の伝言板の横で、文庫本を読みながら耕二を待った。文庫本は遠藤周作で、詩史が学生時代に読んで感銘を受けたと言ったものだ。

五分後に現れた耕二は、胸にHUGO BOSSとロゴの入った、うす紫のTシャツを着ていた。髪に、ムースだかジェルだかをたっぷり塗り込んであるらしく、見かけは普通に乾いているが、匂いでそのことがわかった。

「きょう、バイトはないの？」

歩きながら訊《き》いた。

「ない」

耕二は短くこたえ、透をみて、暑いのによくセーターなんか着てるな、と、言った。

太楼ラーメン、という名前のその店は、三年ぶりだが全く変わっていなかった。透も耕二も、ここで注文するものは決まっている。耕二がそれを注文した。

「でさ、にやっと笑うんだよ、意味もなく」

耕二はさっきから吉田の話をしている。

「困るのか？ 吉田が笑うと」

冷水器から勝手に水を注ぎ、隅の席に腰掛けた。

「そういう話じゃねえだろ」

まだ何もでてきていないのに、耕二は割り箸《ばし》を先に割った。

「それで、吉田は何の用だって？」

尋ねると、耕二はため息をついた。

「なんにも聞いてないんだな。それがわからないから悩んでるんだろ」

もういいよ、と、不貞腐《ふてくさ》れたように言う。

「まったく最近の若い男はひとの話を聞かねえよな」

まるで、自分が最近の若い男ではないみたいに言った。

餃子《ぎょうざ》でビールを飲んでから、透が青椒肉絲麺《チンジャオロウスーめん》を、耕二が天津麺《テンシン》を、それぞれ食べた。

「俺の話をちゃんと聞いてくれるのは由利ちゃんと喜美子さんだけだな」

透がおどろいて、

「相談したのか？」

と訊くと、今度は耕二がおどろいたように、

「まさか」

と、こたえた。するわけないだろ、そんなもん。

透は首をかしげて、

「辻褄《つじつま》が合わない」

と、言った。いずれにしても、耕二の女関係について、相談にのるつもりはなかった。半分はばかげていると思うからだし、半分は、耕二なら一人で切り抜けると思うからだった。それはつまり、半分の軽視と半分の敬意だ。透は耕二に対し、高校時代からずっとそういう感情を抱いている。

「でもなあ」

耕二が言った。

「喜美子さんとはそろそろ別れなきゃなんないよなあ」

「なんで？」

ラーメンはもう食べおわっていた。透の丼《どんぶり》はすっかり空だが、耕二の丼にはつゆがすこし残っている。昔とおなじだ、と、透は思った。

なんで、という質問に、耕二はこたえなかった。かわりに、

「卒業したらさ」

と、言った。

「卒業したら、女の子ってやっぱり結婚とか考えるんだろうな」

由利のことを考えているのだろうと思った。

「さあ。そうとも限らないんじゃないの？」

透は言ったが、よくわからなかった。そうかもしれないとも思った。どちらでもよかった。

店をでると、夜気が濡《ぬ》れたようにつめたく、気持ちがよかった。

「食ったな」

透は、六本木まで、地下鉄の駅を一つぶん歩いて帰ることに決めた。散歩に丁度いい距離だ。

「橋本に彼女ができてさ」

耕二が言った。

「ふられる前に会わせろって言ってるんだけど」

六本木には、詩史とときどき行くバーがある。'70年代の音楽を聴かせるバーだ。詩史とときどき行くイタリア料理店もある。その店の野菜は他所《よそ》よりもおいしい、と、詩史は言うのだ。

「山本ともしばらく会ってないしさ、由利もお前に会いたがってるから、今度またみんなで集まろうぜ。橋本とその彼女も一緒にさ」

透は、いいよ、と、こたえた。興味は持てなかったが、常に正直でいるわけにもいかない。

耕二と別れると、透は外苑《がいえん》西通りを、一人でまっすぐに下った。


めずらしいことなのだが、耕二は混乱していた。透は、どこか遠くにいるような感じだった。昔からそうなのだ。孤独な子供みたいに、透には、周囲になじまないところがある。べつに浮きはしないのに、かといってなじむこともしない。母子家庭で育ったことや、母親が留守の鍵《かぎ》っ子だったことと、それは関係があるのだろうか、と、耕二は考える。関係があるにせよないにせよ透は昔からそんなふうだったし、「詩史さん」とつきあうようになってから、その傾向はますます強まった。

混乱の原因は吉田と、それにおそらく——おそらくなどという言葉を使うこと自体、自分が混乱しているしるしだ、と耕二は思うのだが——喜美子だ。

自分は喜美子と別れられないかもしれない。

その考えは、耕二を戦《おのの》かせる。

喜美子とは身体《からだ》だけの関係だ。それは合意の上のことであるように思えるし、すくなくとも耕二はそう決めている。そもそもの初めから。

そして、きょう、耕二は喜美子を食事に誘った。透に電話をかける前だ。喜美子とは、いままで一度も夜に会ったことがない。理由は簡単で、喜美子が人妻だからだ。

でも、ほんとうにそうだろうか。

もしも喜美子が、たとえば透の「詩史さん」みたいに夜も出歩ける女だったら、自分は喜美子のために、夜の時間をやりくりするだろうか。耕二は、まず、物理的に無理だ、と考え、物理的に、というところに嘘があると思った。物理的に?

喜美子は、きょうは旦那が出張しているので、帰りに食材を買わなくてもすむ、と言った。ありあわせの食料で、一人で気楽に夕食を摂《と》るのだ、と。耕二はたまたま空腹だったし、バイトのない日でもあったので、

「じゃあ、飯食おうよ」

と、誘った。ほんのなりゆき程度のことだった。たまたま。

たまたま？　ほんとうに？　あれだけ注意深い俺が？

「これから？」

喜美子は単純におどろいた顔をした。そして単純に断った。

「夜はうちにいたいの」

と。旦那が電話をかけてくるかもしれないし、とも言い、前にも言ったけど、私、けっこういい主婦なのよ、とも言った。それは、耕二が予想もしなかった返事だった。べつに、喜美子とそうたいして食事をしたかったわけではない。それなのに自分が一体どうしてあのときあんなに傷ついたのか、わからなかった。

喜美子に腹が立った。

あれだけ奔放にふるまっておきながら、主婦だから帰るもないだろう、と思った。電車を二度乗り継ぎ、中央線の座席に揺られながら、耕二は、喜美子の細い腰や大きい口、頭をのけぞらせたときの白い喉《のど》を思いだしている。キレたときの般若《はんにゃ》の形相や、機嫌のいいときの、耕二をからかうような口調も。

夜はうちにいたいの。

野獣に言われたくないわね。

中央線は混んでいた。向いの窓ガラスごしに、ビルのあかりが小さく白くみえている。

アパートに帰ると、玄関のドアに白いビニール袋がぶらさがっていた。さりさりと耳障《みみざわ》りな音をたてるその袋の中にはたこ焼きとメモが入っていて、それは嫌な予感どおり吉田からだった。

耕二くんへ。

バイト先に行ったら休みだと言われたので、いるかなーと思って寄ってみたけど留守みたいなので帰ります。たこ焼き、レンジして食べてね。

吉田より。

メモは、子供じみた下手くそな字で書かれていた。耕二はそれを、廊下につっ立ったまま読んだ。中の包みがまだわずかに温かかったのにはぎょっとした。つい、まわりを見回した。

「マジかよ」

気持ちを軽くしようと、ほとんど必死で声にだしてそう言ってみた。

「汚ねえ字だな」

しかし効果はなかった。

部屋に入り、耕二はたこ焼きをビニールごとゴミ箱に捨てた。窓をあけ、考え直して窓を閉める。

自分でもおおげさな反応だと思ったが、鳥肌が立っていた。こういうのは苦手だった。ものすごく嫌なのだ。

ベッドに仰向《あおむ》けになって足を組み、耕二は自分の人生が、自分の思惑からはずれかけているような気がした。はやく何とかしないと危険だという気がした。何をどう何とかすればいいのか、わからないことだけが問題なのだった。

18

この家の窓ガラスを磨くのは、子供のころから透の仕事だった。夏休みや年末に、母親に言われて仕方なく磨いた。高校生になると、母親に言われなくても自分でするようになった。汚れた窓ガラスは、だらしのない気がして嫌いだった。慣れてしまえば簡単なことだ。もう何年も、この家の窓ガラスがつねに美しく保たれていることに母親が気づいているかどうか、透にはわからない。

夏の夕方、磨きおわった窓ガラスごしに、透は東京タワーを眺めている。部屋の空気には、スプレー剤の匂《にお》い——レモンを模した、しかしレモンとはほとんど似ていない匂い——が残っている。

詩史とつきあい始めたころ、透には何もかもが新鮮だった。年上の、美しい女性と、自分が待ちあわせているということや、ほとんど電車に乗らない詩史の行動形態や、様々な場面で詩史が自分を紹介してくれる人々や、酒や食事や音楽や、詩史と夫の風変りな——なにしろ居間に観音像があるのだ——生活空間や。なにもかも新鮮で驚きに満ち、そのたびにきちんと目をあけて、受けとめるのが精一杯だった。透はなつかしく苦笑する。詩史の周囲の人々の目に、自分はおそろしく子供に映ったことだろう。いまだってそれは変らないのだし、事実自分は無力なのだ。

「じゃああなた、私たちのうちに引越してくる？」

詩史がそう言うのも無理からぬことだ。詩史を奪いたいと思っていた。奪えると思っていた。ばかばかしいにも程がある。

いまや透は奇妙な陽気さに浮き立っていた。カクテル・アワーだ。冷蔵庫から缶ビールをだしてきて、淡い夕焼けに染まった空をみながら一人で飲んだ。すくなくとも、酒が飲めない程子供ではないのだ。

透には、詩史以外何もかもどうでもよかった。詩史がすべてだった。ならば仕方がないではないか。

ビールを飲み干すと、カーテンをしめて電気をつけた。一つだけ、確かなことがある。鳴らない電話から目をそらし、透は自分を励ますかのようにそう考える。一つだけ確かなら、それで十分だ。それは、詩史は知っている、ということだった。それだけは自信がある。周囲の目に自分がどれだけ子供に見えようと、詩史にとって自分は決して子供ではない。

おそらく誰にもわからないだろう。詩史と自分以外の誰にも。いつも美しく大人ぶった詩史の、ふいに見せる心細げな表情や、動揺を隠すためにわざと語気を強めるときの一瞬の躊躇《ちゅうちょ》を、思いだして透は頰をゆるめた。それでいいではないか、と、透は思う。すくなくともいまのところは、それで十分ではないか。

バイトの時間より三時間早く事務所に入り、耕二はレポートを一つ仕上げた。数冊の本からの引用と、引用ではないように見せかけた引用を、巧妙に組み合わせたレポートだ。優というわけにはいかないが、不可にはならないはずだった。

事務所のエアコンは音ばかりうるさくて効きが悪く、窓を半分あけてあるが蒸し暑い。読みさしの漫画週刊誌や袋入りのスナック菓子、誰かがゲームセンターから取ってきたとおぼしきぬいぐるみや、百年も洗っていないようにみえるスニーカー——きっと、くさくてロッカーに入れる気もしないのだろうと耕二は思った——などが散かっている。従業員はほとんどがバイトで、ということは誰にとってもここはしばらく通うだけの場所なので、汚なくても平気なのだろう。

耕二はレポートを几帳面《きちょうめん》にフォルダーにはさみ、煙草《たばこ》に火をつけた。きょうもし吉田が現れたら、と、考える。きょうもし吉田が現れたら、どういうつもりか絶対に白状させてやる。そうしてその上で、今後俺に近づくなと、きっぱり言い渡すつもりだ。

耕二がアパートをでるとき、ゆうべのたこ焼きはまだゴミ箱に入ったままだった。白いビニール袋ごと、それはゴミ箱におしこまれ、でていく耕二をうらめしげに見上げているように見えた。吉田のメモつきのたこ焼き。

わずらわしいことはそれだけではなかった。今朝はまた母親からの電話で起こされ、兄とその新妻のことで愚痴をきかされた。二人はどうやら元の鞘《さや》に収まったらしいが、喧嘩《けんか》の原因を頑として言わないことが、母親の気に入らないのだった。

「これだけ大騒ぎをして、別れるの何のとまで言っておいてよ、お騒がせしましたじゃないでしょう?」

母親の言うことにも一理あると思ったが、それを耕二に言われても、迷惑以外の何物でもなかった。

「いいじゃん、もう放っとけば」

それで、そう言った。だいたい、隆志は昔から要領が悪いのだ。夫婦喧嘩くらい、親をまきこまずにするべきではないか。

「そういうわけにはいかないでしょう? 早紀さんのお家《うち》の方でも心配なさって、うちに電話をかけてらしたんだから。それだってあなた、お母さんたちは事情もきかされてないんだから説明のし様がないじゃないの」

おかげで耕二は十五分も母親の電話につきあわされた。あげくのはてに、

「でもまあ、雨降って地固まったっていうことならね、やれやれっていうことで、ちょうど早紀さんのお誕生日だっていうから、それじゃあうちでお食事会でもしましょうかっていうことになったのよ。耕ちゃんも顔くらいだしなさいね、いろいろ忙しいんでしょうけど」

というお達しまででてしまい、もともと兄とそう親しいわけではない耕二としては、迷惑千万なのだった。

煙草を消して、立ち上がる。鏡の前に立ち、手櫛《てぐし》で髪を整えた。店にでる時間だ。今夜がどれほどひどい夜になるか、耕二にはまだまるでわかっていなかった。

台が七割方埋まった午後九時頃、吉田は現れた。耕二はそのとき、他の客と話していた。他の客とは和美ちゃんで、高校三年生の、耕二の気に入りの客だ。夏休みに家族でハワイに行ったとかで、和美ちゃんはいい色に日やけしていた。いつものように、中年男と一緒だった。一緒だったが、そのときはたまたま、一人でスツールに腰掛けて、ウーロン茶を飲んでいた。そこへ吉田が現れたのだった。

「こんばんは」

吉田は言い、カウンターには和美以外誰も坐《すわ》っていないというのに、わざわざ和美の隣を選んで腰掛けた。そしていきなり、

「耕二くんの彼女?」

と、和美に直接尋ねた。

ばか、と耕二が言うより早く、和美が強く否定した。

「ちがいますっ」

緑色のメッシュを入れたワイルドな髪の毛が、顔の動きと共に左右に揺れる。

「すみません」

耕二はまず和美に謝って、それから吉田をにらんだ。謝れ、と表情で促したつもりだったが、吉田は平気な顔をしている。

「こちらのお客さまに失礼だろ」

仕方なく耕二はそう言い足した。

「いいです、大丈夫」

当然のことだが、和美は空気の不穏さを察知して、ウーロン茶のグラスを持って、そそくさと中年男のいる台に戻った。

まわりに人がいなくなると、耕二の自制心はぷっつり切れた。

「なに言いだすんだよ、ったくよう」

言葉が乱暴になるのをどうしようもなかった。

「帰れよ、もう。迷惑なんだよ」

吉田は何も言わない。やや怯《おび》えた表情ではあるものの、強いて反抗的な顔をつくろうとしているせいで、複雑な、色っぽいといえなくもない、湿度のある目つきで耕二をじっと見つめている。

「何考えてんだよ、ほんとによう」

声を低めているせいか相手が無言であるせいか、乱暴な言葉も、最後にはなんとなく泣きごとみたいな響きになった。

「ごめん」

不承不承、という声で、吉田は言った。

「ごめんじゃねえよ」

きょうというきょうは、耕二も許すつもりはなかった。

「ラムコークちょうだい」

しかし吉田は言い、あまつさえ、にたりと笑った。

「駄目。帰れ。二度と来るな」

吉田は黙った。黙ったが、帰るそぶりは一向に見せない。フロア中央の台のそばから、和美が心配そうに見ているのがわかった。

「お前さあ、俺に何か言いたいことがあるんならはっきり言えよ。何か言いたいことがあるんだろ？　昔のこと根に持ってさあ、つきまとうのなんてマズくない？　謝れっていうなら謝るし、土下座しろっていうならするけどさ、あれはもう終ったことなんだよ。俺にとっては」

五秒ほど、沈黙があった。

「根に持ってなんかいないもん」

吉田が、すねたような口調でこたえた。

「だって恋愛は自由でしょ。なんであたしが根に持たなきゃいけないのよ」

「じゃ、何だよ？　何が望みなわけ？」

吉田は、また、にたりと笑った。

「言ってもいい？　言ったら望み、叶《かな》えてくれる？」

耕二は理由もなくぞっとしたが、

「言えよ」

と、促した。一体何が望みなのか、知りたかったし知る必要があった。

「一度私と寝て。一度だけでいいの。そしたらもうつきまとわない。約束する。ついでに言うと、変な病気は持ってないよ」

一気に言い、吉田は、まるでそれが叶えられる可能性のある望みでもあるように、期待を込めた顔で耕二をみている。

「冗談だろ？」

うんざりだった。土下座まで覚悟して、まじめに話したことが急にばかばかしく思えた。

「お前、かなりヤバいんじゃない？」

耕二は言い捨てて、カウンターを離れた。重ねた灰皿を持ち、フロアをまわって汚れたものと取り替える。空いたグラスをさげ、放置されたキューを所定の場所に戻す。耕二は、吉田が帰ってくれることを願った。まともな神経の女なら、いたたまれなくなって帰るのが当然だと思えた。

フロアの雑用は、しかしすぐに尽きてしまった。従業員の一部は、胸に「いつでもコーチします。お気軽にお声をおかけ下さい」と書かれたタグをつけており、耕二の胸にもそれはついているのだが、客というのはそうそう、「お気軽に」声をかけてきたりはしないものだ。カウンターをみると、吉田はあいかわらず一人で坐っている。

そして、そのとき自分の目にとびこんできたものに、耕二は慄然《りつぜん》とした。その場に凍りつき、動くことができなかった。

最初に気づいたのは由利だった。耕二をみつけ、嬉《うれ》しそうに手をふった。その横には橋本がいて、おう、という顔をした。そのさらに横には見知らぬ女——おそらく橋本の彼女——が立っていて、耕二に小さく会釈《えしやく》をする。

三人はたったいま入ってきたところらしく、入口のわきにかたまって立っていた。

どうすべきか考えるより早く、耕二は行動していた。大股《おおまた》で勢いよく歩み寄り、吉田を見ないようにしつつ、受付で入店時刻入りの伝票を打った。

入口のわき、バーカウンターのすぐそばに。

「びっくりした?」

とか、

「はじめまして」

とか、三人がそれぞれ何か言うのは、ほとんど耳に入らなかった。伝票を手に、耕二は三人を空いた台に案内しようとした。

「どうして?」

由利が不審そうに訊《き》いた。

「いつもみたいにカウンターでいいよ。お店こんでるみたいだし」

うん、いいよいいよ、ここで、などと、橋本まで言うので耕二は腹が立った。

「せっかく三人もいるんだし、たまにはやってけばいいじゃん。あとでコーチしにいくからさ」

耕二は言ったが、由利はますます不審そうな顔をしている。

そのとき吉田が立ち上がった。伝票を持って歩いてきて、

「ごちそうさま」

と、耕二に言った。

「ありがとうございました」

三人が見ている前で会計をしながら、耕二は全身が汗ばむのを感じた。吉田の顔をみることはできなかった。

「帰ってあげる。貸し一、だからね」

耕二は耳を疑った。吉田の最後のひとことは、由利の疑惑を決定づけるのに十二分だった。

「誰？」

吉田がでていった途端、無論由利はそう尋ねた。

「誰？　ねえ、誰？」

雨が降っている。

耕二は自分の部屋の床に横になっていて、橋本は壁にもたれるかたちで足を投げだして坐っている。

「だって、仕方ねえじゃん。年上の女はバイト先に来ないって聞いてたしさ、他の女とトラブってるなんて知らなかったし」

べつにトラブってなんかいねえよ、と、耕二は不機嫌にこたえる。

「もういいよ」

と。

「彼女に会わせろってしつこかったのお前だろ？」

橋本は、言い訳ともつかずになおそう言った。

「いいって言ってるだろ、もう」

耕二は身を起こし、煙草をくわえた。

おとといの夜、吉田が帰ってしまうと、耕二はもう言い逃れのし様がなく、由利に

──そして橋本とその彼女に──事の次第を説明した。できるだけ誠実に、事実に即して説明したつもりだった。同窓会の日にひさしぶりに会ったこと、それ以来つきまとわれて困っていること、吉田とはかつてつきあったことも、これからつきあうつもりもまるでないこと。

同窓会の翌朝、目をさますと吉田がいたことと、厚子さんのことは省いた。

「ふうん」

話をきくと、由利は言った。言ったが、納得したようには見えなかった。

「それだけ？」

質問のようには思えない口調で、そう訊いたりした。多少責任を感じていたらしい橋本が、

「変な女だな」

と言い、どうしていいかわからずにいた橋本の彼女が、

「大変ですねえ」

と言ったりしたが、たいして役に立たなかった。

「それだけなら、耕二くんがびくびくすることないじゃない」

由利はそう言った。

「もっと堂々として、ちゃんと私を紹介してくれたらよかったじゃない」

特製カクテル、と呼んで気に入っているレモネードに、口もつけずに由利は言いつのった。

「だって危ない女だったら困るだろ、由利を逆恨みしたりとかさ」

そうそう、と、橋本の彼女だけはうなずいたものの、橋本は半ば呆《あき》れ顔をしており、由利は頑として、

「平気だもん」

と言い張るのだった。

「私はそんなの全然平気。ちゃんと対決してやるもん」

対決だもんなあ、と、耕二はぼやいた。

「女っていうのはほんとにみんな、なんだかなあ」

橋本は、しかし眼鏡の奥から、つめたい視線を送ってよこしただけだった。

雨が降っている。

卵の黄身をからめた焼きアスパラガスを、詩史は愉《たの》しげな仕草でとり分けている。

「ね、何か話して。学校はまだ始まらないの？」

植込みに向かってあけ放たれたガラスのドアは、黒い縁取りがクラシックな趣きだ。焼けたチーズの、こうばしい匂《にお》いがしている。

「大学はあさってから」

透はこたえた。Tシャツにジーンズという恰好《かっこう》なのに豊かで豪奢《ごうしゃ》な感じのする、詩史の横顔に見入った。白ワインはつめたく、口のなかで液体がひきしまる気がする。透は自分を幸福だと思った。こうしているだけで完全に幸福だと思った。

「遠藤周作を読んだよ」

透は、『沈黙』について話した。それから『白い人』について。詩史はやや首をかしげて、食事の手は休めずにきいていた。

「すごくおもしろかった。文体が透徹した作家なんだね。いまは『侍』を読んでる」

シンプルなトマトのスパゲティを二人でわけて食べたあと、メインの肉料理は、透が一人で片づけた。

詩史といるとき、時間は蜜《みつ》のように甘くゆるやかに流れる。

詩史はカリエールの芝居について話した。このあいだ、「お店の女の子たち」と観《み》にいったのだという。

会話がとぎれたとき、透は紅茶を、詩史はエスプレッソをのんでいた。

「一緒に生活しないで一緒に生きるっていう、条件をのむことにしたよ」

透はつとめてゆったりと、言葉が満足そうにひびくように気をつけてそう言った。

詩史はたちまち眉《まゆ》を上げる。

「条件なんかだしたことないわ」

「ごめん」

透は微笑《ほほえ》んであやまった。僕にとっては条件とおなじだった、と、考える。それをのむか、詩史さんを失うか、どちらかなんだから、と。

「それで、いいことを考えたんだ」

「いいこと?」

訊き返した詩史は、片手でエスプレッソカップを口に近づけ、反対の手で、煙草《たばこ》を箱から一本抜きだそうとしていた。透は箱をとり、煙草を抜きだして渡してやりながら、

「店に就職させてほしい」

と言った。詩史は、手にしたカップも煙草も忘れたかのように、静止して透を見つめ返した。

19

日曜日、耕二は朝から由利のテニスにつきあい、吉祥寺で昼食をおごったあと、欲しいＣＤがあると言う由利とタワーレコードにも行った。

傍目《はため》には仲のいいカップルのデートにみえたろうと思うが、由利は機嫌が悪かった。はっきりと言葉にしたわけではなかったが、原因は吉田だ。吉田に腹を立てているというよりも、吉田の挑発的な態度を目《ま》のあたりにして、それに対してなす術《すべ》のなかった耕二に腹を立てているらしかった。

「話してくれればよかったのに」

ふんだんに日のあたる洋食屋でドライカレーを食べながら、由利はそう言った。

「同窓会で変な女に会ったとか、しつこくされて困ってるとか、あんなところでばったり会う前に、ちゃんと話してくれればよかったのに」

謝るのは十回目くらいだったが、耕二はもう一度、ごめん、と、言った。言っても何も変わらなかった。

新婚早々派手な喧嘩《けんか》をし、ようやく落ち着いたらしい兄夫婦を囲む食事会に、耕二は由利を連れていくことにしている。由利は家族の行事に参加するのが好きだ。今朝会ってすぐにそう誘い、しかし由利は即答しなかった。

「いいのかなあ、私が行って」

浮かない顔で、そう言った。耕二は、自分にとっていちばん大切な女は由利なのだと、家族と親しくすることで伝えられたらと思った。由利のことは真剣に考えているのだ。由利にはそれを信じてほしかった。信じたら、あとは黙ってついてきてほしかった。

ドライカレーは、駄菓子みたいな味がした。

「由利ちゃん」

耕二は言った。由利と視線を合わせる。

「信じろって。あいつとはなんにもないんだから」

由利は何も言わず、耕二の顔をじっと見ている。ふっくらした頰と、意志の強そうな二重の眼。丸衿《まるえり》の白いブラウスにジーンズという服装で、ななめがけの小さなポシェットをかけたまま食事をしている。

帰ってあげる、と、吉田は言った。一体何だってそんな言い方をされなきゃならないのか、耕二には見当もつかない。由利とは上手《うま》くいっていたのに、痛くもない腹――厚子さんという古傷はあるにせよ――をさぐられるのは心外だった。

「あいつのことは俺がちゃんとするから。由利には迷惑をかけないから」

由利はこっくりうなずいた。それから、世にも可憐《かれん》な笑顔を見せた。耕二は救われた気がした。


母親は、とりつく島がなかった。大袈裟《おおげさ》にため息をつき、いいかげんにしなさい、と、言った。あんたはからかわれてるだけなんだから、と。

詩史との関係について、母親に説明するつもりはなかった。したところで、わかってもらえるはずはないのだ。

「でも、そう決めたんだ。一応報告しとこうと思って言ってるだけだから」

店に就職させてほしい、と言ったとき、詩史はびっくりした顔をした。あきらかに、予想もしていないことを言われたという顔だった。

「そうしたら、いつも一緒にいられる。海外に買いつけにいくときも、二人でいかれる」

一つ一つの事柄について詩史がきちんと想像できるよう、透はゆっくり話した。

「そうしたら、一緒に暮らさなくても一緒に生きることができる」

透と詩史は、青山にある詩史の気に入りのイタリア料理店で、食事をおえたところだった。大きな窓が開け放たれていて、夏の終りの雨が、街を冷やすようにしずかに降っていた。

透が話しおわっても、詩史は何も言わなかった。店は混んでおり、ウェイターたちが忙《せわ》しげに立ち働いていた。

「ほんとうにそんなことができるかしら」

それから詩史はそう言った。質問というより、自分に言っているみたいな声にきこえた。詩史は透をじっと見ていて、持っていた煙草は、火もつけられないままだった。

「勿論《もちろん》できるよ」

透は微笑んで言った。

「ほんとうに?」

詩史が訊《き》き、透は詩史を安心させるかのように、

「ほんとうに」

と、こたえた。

それからの一時間は、信じられないほど幸福なひとときだった。ありとあらゆる場

所にいく計画をたてた。

詩史の反応は、透が期待した以上のものだった。

「素晴らしい思いつきだわ」

何度もそう言った。それでいて、

「でも、そんなことほんとにできるのかしら」

と、合間合間にさしはさむので、その度に透は「勿論できるよ」とうけあって、安心させてやらなければならなかった。

「そうね、きっとできるわね」

しまいに詩史はそう言った。

「できないはずはないもの」

そして、冷めてしまったエスプレッソを、なぜこんなものがここにあるのかわからないという表情でわきへ押しやると、透をじっと見た。

「とてもいいことを思いつくのね」

詩史は微笑んで——その微笑みに、わずかに淋《さび》しそうな陰がさしたのを透は見逃さなかったが、ともかく——、

「それで少くとも仕事の上では、これから何年も何年も、あなたと一緒にいられるの

ね」

と、言った。これで少くとも仕事の上では、これから何年も何年も――。

店をでると、依然として雨が降っていた。透は、いつものように一万円札と共にタクシーに押し込まれたのだったが、みちたりていた。詩史との関係が始まってからはじめて、「未来」が見えたような気がした。

「でも、陽子さんが何て言うかしら」

別れ際《ぎわ》、ふいに詩史がそう口にしたとき、それは透も多少恐れていることではあったのだが、幸福の洪水みたいな一時間をすごしたあとで、恐《こわ》いものなど何一つないという気持ちになっていた透は、

「気になるの？」

と、余裕たっぷりに尋ねた。タクシーの屋根に両手をついて中をのぞく恰好だった詩史は首をかしげ、ややあって、

「いいえ」

と、こたえた。

「いいえ、気にならないわ」

と。それは特別な一瞬だった。二人のあいだにまぎれもなく共犯者めいたシンパシ

イが走った。愛情と信頼と共感の、輝かしいほど濃く甘い一瞬だった。

ドアが閉まり、タクシーは走りだした。透は座席に凭《もた》れ、目をとじて、息をすった。世界は、この上なく素晴らしい場所だった。

「すこし頭を冷やしなさい」

母親は、しずかなだけに一層怒りの際立った声で言った。

「あんたには全く呆《あき》れるわ」

パジャマにローブを羽織った姿で朝食を摂《と》っているところだった母親は、食べる気も失《う》せたとばかりに立ち上がって、皿を流しに運んだ。クリームチーズをつけたベーグルの残りを、そのままディスポーザーにかける。耳障《みみざわ》りな機械音が、台所に響き渡った。

「もう大人だと思うから」

透に背を向けたまま、母親は小さな声で言った。

「だからあんたの交友関係に口はださずにきたのよ。でもそれと就職とは別でしょう？　まったく何を言いだすかと思えば」

それはただの小言だった。詩史の店への就職を決めた、と告げた透への返事ではなく、ただの小言だった。透にはそうきこえた。

「それは俺のセリフだよ」

透が自分を「俺」というのは、母親に腹を立てたときだけだ。

「物事を混同してるのはそっちじゃないか。俺は交友関係の話をしてるわけじゃなくて、就職を決めたって言ってるだけなんだから」

ふり向いた母親は、眉間《みけん》に苛立《いらだ》ちをにじませていた。化粧をしていないせいか、ひどく顔色が悪い。

「いいからよく考えなさい」

きつい香水をつけて寝る習慣があるので、朝の母親は怠《だる》く甘ったるい匂《にお》いがする。今朝の透にはその匂いが、怒りの発散のように思えた。

「それで、それでもあそこで働くって言い張るのなら、ここは出ていきなさいね」

母親は冷ややかにそう言うのだった。

校庭のベンチに腰をおろして、耕二は学生たちを眺めている。広い大学なので、歩いているのは見たことのない人間ばかりだ。ようやく涼しくなって澄んだあかるい空気の中で、学生たちはみんな無邪気に能天気に見える。きょうは午後にゼミのある日だ。ゼミのあと、料理教室帰りの喜美子と会うことにしている。

最近の耕二にとって、喜美子といる時間はいちばんほっとする時間だった。無論、喜美子に欠点がないわけじゃない。すぐ感情的になるし、彼女の都合のいいとき——稽古事《けいこごと》の帰り——にしか会えない。耕二に電話を持たせようとしたり、金をくれようとしたりするのには閉口する。へんなところで過剰なのだ。ついこのあいだもハンカチをもらった。

「ハンカチなら構わないでしょう?」

とげのある口調でそんなことを言った。ラルフ・ローレンのブルーのハンカチ。

喜美子は、耕二に彼女がいることを、当然だと思っているようだった。自分たちの関係が双方にとって都合のいい情事にすぎないことを、たぶん知っているのだろう。本質的なところで嘘《うそ》をつかずにすむというのは、ひどく楽なことだった。

九月。

ゼミの教授には、耕二は気に入られている。学校の中だけが人生のすべてなら、なにも難しいことはないのに。

耕二は立ち上がり、ヨーロッパの教会みたいな講堂——七十年の歴史を刻んだロマネスク様式の建築として、学長が誇りにしている建物だ——を見上げる。ジーパンの尻《しり》ポケットに手を入れて、ここ二、三日持ち歩いている紙がまだあることを確かめた。

同窓会で配られた住所一覧だ。吉田はあれから現れていない。かわりにアパートに電話があって、留守番電話に伝言を寄越した。

「このあいだのこと、いつがいいか決めて連絡して。一度だけとはいっても、ちゃんと普通のデートみたいに誘ってね。じゃーねー、よろしく」

どことなく舌たらずな、しかし低い声でそう録音されていた。最後の、無理にふざけるみたいなじゃーねー、よろしく、が耳に残った。いまも残っていた。

夕方。

耕二の部屋で、喜美子はきょうも奔放だった。肉体のヨロコビというものを、私はこの年齢まで知らずにいたわ、と、言ったりした。

六時。あたりはもう暗くなっている。

「いいなあ、喜美子さんは」

裸のままベッドで紅茶をのんでいる喜美子を眺めながら、耕二は心から言った。

「喜美子さんのセックスって、大胆すぎていっそ清潔なんだよな」

喜美子は紅茶茶碗《ぢゃわん》ごしに、目を細めて笑った。

「誰のと較《くら》べてるんだか」

骨の突起した手首に、いつか耕二の贈った金の鎖がまきついている。

「それ、いつもつけてるの？」

耕二が訊くと、喜美子は、

「これ？」

と言って、手首をふった。

「そうよ。いつもつけてる。寝るときも、シャワーを浴びるときも」

自分でも意外なことに、耕二は不快な気がしなかった。それどころか、こんなことで満足そうにしている喜美子を、いとおしいと思った。

「来月、踊りの発表会があるの。来てくれる？」

義理の母親に買ってもらったという派手な黄色のシャツブラウスを身につけながら、喜美子が尋ねた。

「来月？　いいよ、何日にあるの？」

あまり興味はなかったが、ついそうこたえた。喜美子はおどろいて顔を上げ、

「嘘。ほんとに来てくれるの？」

と、訊いた。そして、

「きょうって敬老の日だった？」

と、さえないジョークまでとばした。

その二日後に喜美子と別れることになるとは、思ってもみなかった。成り行きは単純で、喜美子がとち狂ったのだ。

晴れた、清々《すがすが》しい午後だった。喜美子が電話をかけてきて、すぐそばにいると言った。いますぐに会いたい、と。何があったのか知らないが、喜美子は電話口で、すでに涙声だった。耕二は由利と、部屋にいた。

「すみません、いまはちょっと」

それで、そう言った。喜美子は譲らなかった。

「お願い」

やけに切実な声音でそう言った。

「無理ですよ」

耕二は笑いながらこたえたが、自然な笑い方ができたとは思えない。内心冷汗をかいていた。

「お願い」

喜美子はしゃくりあげながら、あわれっぽくくり返した。耕二はそのまま電話を切った。

「誰？」

メグ・ライアンの新作ビデオを「一時停止」にして待っていた由利に訊かれ、

「バイト先の人」

と、こたえた。

「急に欠勤がでたから代ってほしいって」

空々しく説明を加えたが、由利が疑っているのがわかった。

喜美子は、すぐそばにいると言っていた。いまにもドアが叩《たた》かれるような気がした。

耕二には、喜美子がこのまま帰るとはとても思えなかった。

「でかけよう」

由利の疑いに確信を与えることになるのはわかっていたが、鉢合わせよりはましだった。耕二は自分でみっともないと思うほど慌《あわ》てていた。

「そんな映画つまんないじゃん。天気もいいし、どっか行こうよ」

由利は耕二の顔をちらりと見て、

「いや」

と、短くこたえた。

「絶対行かない」

耕二は気が急《せ》いて、由利の両わきの下に手をさし入れて、立たせようとした。

「頼むからさあ」

由利は頑として動こうとしなかった。

「そんなに行きたいんなら、耕二くん行っていいよ。私は待ってる」

ついかっとして、

「何をだよ」

と怒鳴るように言った耕二に、由利は軽蔑《けいべつ》の視線を投げた。

「耕二くんをに決まってるじゃない。他に誰を待つの？」

もう、どうしようもなかった。由利はてこでも動かない気なのだ。

「勝手にしろよ」

耕二は吐き捨てた。どうにでもなれと思った。

しかし結局、喜美子は現れなかった。

いたたまれない空気の中でビデオを観《み》終り、観終ると同時に由利は帰った。バイトがあるので途中まで一緒に行こうと誘ったが、一人で帰りたいのだと言って、ほんとうに帰ってしまった。

翌朝、耕二は喜美子に電話で起こされて、もう終りにしましょうと告げられた。あなたの顔は二度と見たくない、と。

20

捨てるのはこっちだ、と決めていた。でも、捨てることはいつも痛み以外の何物でもなかった。耕二は自室の床に仰向《あおむ》けになり、開けた窓からただよってくる、住宅地特有の昼の匂いをわずらわしく思った。

喜美子ははじめから涙声だった。何があったというのだろう。

あなたの顔は二度と見たくない。

そして、二度目の電話でそう言った。そのときにはもう泣いていなくて、喜美子らしい、攻撃的な言い方だった。黙っていると、返事もしないなんて卑劣だと詰《なじ》られた。最後まで利己的なのね、と。

そのとおりだ、と耕二は思う。そのとおりなのだから、仕方がない。ちょうどよかったと考えるべきだ。いつか捨てると決めていた。捨てる手間が省けたし、実質的には自分が捨てたのだと知っている。

心配したのよ。

いつだったか、耕二が電話にでなかったというだけで、ほんとうに青い顔をした喜美子を思った。愛してるわ、と言うときの喜美子や、野獣ね、と言うときの喜美子、ベッドで、機嫌のいい子供みたいに楽しそうに笑う喜美子や、自分をいい主婦だと言い張る喜美子、怒ると手がつけられず、身体《からだ》中憎悪《ぞうお》のかたまりみたいになって向かってくる喜美子を思った。

ちょうどよかったと考えるべきだ。耕二は立ち上がり、干しておいたタオルケットをとりこむ。下を見ると、補助輪つきの自転車に乗った子供と、スーパーの袋をさげた母親が歩いていた。

利己的、と喜美子は言った。しかし喜美子の人生に責任を持つことができないのであれば、他にどうしようもないではないか。

自分のアパートが、ふいに狭く息苦しく感じられ、耕二は自分が孤立無援であるような、理由のない心細さを覚えた。汚れた灰皿や、日にぬくもったタオルケットや、目の前の何もかもがうざったかった。

野郎と飲みたい気分だったので、耕二は橋本に電話をかけた。橋本は夕方からデートがあるとかで、いますぐならいいとこたえた。昼間から飲める場所を他に思いつかなかったので、耕二はその午後橋本とカラオケ屋にでかけ、橋本の二倍飲んで二倍歌った。しかし、酔いも気が晴れもしなかった。

そしてその日から、人生は耕二の行動能力外のものになった。

真昼。代官山という街は、人が多くてもどこかのんびりしている。小さな広場にテーブルと椅子《いす》を持ちだしただけ、という風情《ふぜい》のカフェでサンドイッチを食べながら、透は詩史を美しいと思った。ここにいる他の誰よりも美しいと思った。ここのところずっとそうなのだが、きょうも輝かしく幸福だった。詩史の言葉を借りるならそれは、「会っているからではなく一緒に生きているから」だった。透は、新しい時間を獲得したのだと感じる。新しい時間。それは特別な流れ方で流れ、素晴らしく力の湧く泉のようなものなのだった。おかげで透は精力的に日々を暮らしている。詩史との「未来」に向け、やるべきことがたくさんあった。母親を説得するつもりはなかったので、一人暮らしのための資金が、まず必要だった。家庭教師のバイトをふやしてはみたが、それだけでは無論不十分だった。詩史に話せば貸してくれるだろうとは思ったが、透はそうしたくはなかった。おそらく最後には父親に助けてもらうことになるだろう。でもそれまでに、できる限り自分で金を貯《た》めたかった。

「仏文科ならフランス語ができる？」

炭酸水をのみながら詩史が尋ね、透は正直に、

「できない」

とこたえた。日ざしに目を細める。そして、その瞬間にはもう、できるようになろうと決めていた。それでそう言った。

「できるようになる」

と。簡単なことに思えた。詩史が望むなら、フランス人なみにフランス語を喋《しゃべ》ってみせる。詩史は可笑《おか》しそうに笑った。

「いいのよ、そんなの。私もできないもの」

きょうの詩史は、赤い口紅をつけている。

「気持ちのいい日ね」

傍らの木を見上げ、ほんとうに気持ちがよさそうにそう言った。

一時間前、透は詩史と、詩史の店で会った。店はいつものとおりしずかで、いつものとおりいい匂《にお》いがし、「女の子たち」が働いていた。

「すぐ出られるからちょっと待ってね」

詩史はカウンターの中で、女の子の一人とバインダーを見ながら何か話していた。客はわりと年齢の高い女性ばかりで、床板にヒールのあたる音を響かせながら、店内

を歩いていた。

「図書館みたいでしょ」

仕事に区切りをつけ、やって来た詩史は小さな声でそう言った。それはほとんど耳うちだった。

「晴れた日にここにいるとね、いつも思うの、図書館みたいだなあって」

うんそうだね、と、透も応じた。

「うす暗いし、ひんやりして、独特の匂いがする」

連れだって店をでた。

「そう。おもてはあかるくて、楽しそうで、街路樹が風に揺れてたりするのに」

でも、と言って、詩史は透をじっと見た。

「でも、図書館には本がたくさんあるでしょう? 一冊ずつが世界を持っていて、外の世界にはないものが、だから図書館にはぎっしりあるの」

嬉《うれ》しそうというより、ほんのすこし得意そうにそう結んだ。詩史が、自分の仕事や店について、そんなふうに話すのを聞いたのははじめてだった。

「図書館は好きだったよ」

どうこたえていいかわからずに、透はとりあえずそう言ってみた。すると詩史は

微笑《ほほえ》んで、歩きながらサングラスをだしてかけ、

「知ってたわ」

と言ったのだった。

サンドイッチはヴォリウムがあった。詩史は半分残したが、透はきれいに平らげた。


耕二にとって、季節は気がつくと秋になっていて、しかもそれは急速に深まり、気温を下げた。喜美子と会わなくなって、ようやく十日がたったに過ぎないというのに。

喜美子とのあれこれを、意識から閉めだせないまま日々が過ぎた。

由利は目に見えてよそよそしかったが、デートは普通に——というより普通以上に——重ねている。先週はビリヤードを教えたし、日曜日には、由利の気に入りのパンケーキ屋にもつきあった。

そうしてそれにもかかわらず、喜美子をめぐる記憶は、耕二につきまとって離れなかった。由利を抱いているときでさえ——由利を抱いているときにはことさらに強く——、喜美子が思いだされるのだった。

自分でも奇妙なことに思えたが、喜美子を失ったというよりも、自分を失ったような気がした。そしてなお悪いことに、それは厚子と別れたときに、もう二度と味わう

まいと決めた気持ちだった。

耕二に唯一《ゆいいつ》恐れるものがあるとすれば、気をゆるす、という行為がそれだった。年上の女には、自分はつい気をゆるしてしまう。自分のものにならない女にだけ、自分のものにならないからこそ——。

「シャンペンをあけましょうね」

母親の声がして、耕二は現実にひき戻された。「やんちゃな弟」を演じに、家に帰っているのだった。母親に促され、耕二は泡を盛大にこぼしてその酒をあけた。由利が来たくないと言ったので、耕二は今夜、一人でここにいる。松茸《まつたけ》入りの土瓶蒸しとすき焼き、というのが今夜の献立てで、食後の、いかにも甘ったるそうなミルク菓子は早紀が作ったそうだった。

母親はにこやかに振舞っていたが、兄の夫婦喧嘩《げんか》にまつわる彼女の怒りの矛先が、兄ではなく早紀に向けられているということは、ここにいる誰もが知っていた。自分には関係のないことであったが、耕二は兄が悪いと思った。

食事が済むと、場所を居間に移してコーヒーをのんだ。耕二は父親に、就職試験までに読んでおくべき本を七冊、手渡された。主に海外貿易に関する本だ。

「お勉強?」

祖母がおっとりと訊《き》いた。

「窓をあけましょうね」

室内にこもっているすき焼きのしつこい臭気が、網戸ごしに外に流れるのがわかった。庭は植木が黒々と深い影になっている。

耕二は喜美子のことを考えた。喜美子も、こんなふうに夫の実家で過ごすのだろうか。耕二とのことがあってもなお、こんなふうに——。

早紀の誕生日だというので、両親はオレンジ色のセーターを贈った。早紀はそれを身体にあててみせ、母親は、似合うわ、と言った。似合うわ、ねえ隆ちゃん、と。耕二はカップボードをぼんやりと見ていた。カップボードのガラス戸に、立っている母親の足と、座ってセーターをあてている早紀が映っていた。兄が「うん」とこたえるのがきこえ、そのとき耕二はどういうわけか、早紀も隆志もばかみたいに思えた。なにもかもまったく下らないと思った。


十月。

由利が変貌《へんぼう》した。変貌と呼ぶのが適当かどうかわからないが、よそよそしい態度はなりをひそめ、矢鱈《やたら》と積極的になった。バイト先にもしばしばいきなり現れた。構わなかったが、ややわずらわしいことだった。

吉田には、結局連絡せずじまいだった。それどころではなかったし、このままなんとなく距離ができれば、と、淡く期待してもいた。吉田だって愚鈍というわけではないのだし、耕二の気持ちは、おそらくわかっているだろう。

目の前で、由利は頬杖《ほおづえ》をついている。ひさしぶりにディズニーランドにいこう、とか、このあいだの耕二くんのうちのお食事会、やっぱり行けばよかった、とか、ここの制服は耕二くんにほんとに似合う、とか言いながら。

あしたは喜美子の踊りの発表会がある。喜美子に会うつもりはなかった。ただ、遠くから見るだけなら構わないだろうと思えた。喜美子の顔を見たかった。

フィービー・スノウの「Don't let me down」は、バーでかかると詩史が小さく口ずさむ曲だ。CD屋でたまたまみつけて買ってしまったそれを聴きながら、透はインスタントコーヒーをのんでいる。

じきにでていくのだ、と決めたことで、母親と二人暮らしのこのマンションが、いままでと違うふうに見えた。滅多に料理をしないくせに、調理器具だけは本格的に揃《そろ》えられた台所とか、散らかす人間がいないためにいつも整然としているリビングとか、革がところどころ薄くなり、でも透や母親の体になじんだかたちのソファとか、ベランダのひびとか、「洗濯をおこたっても大丈夫なように」、棚にぎっしりストックされたバスタオルとか。

自分はいまここに住んでいるのに、それらがすでになつかしくさえ思えるのはおもしろいことだ。

Don't let me down, don't let me down

フィービー・スノウが歌っている。

Don't you know it's gonna last. It's a love that'll last forever.

数日前に由利から電話がかかったことを、耕二に話しておくべきかどうか、透は一応すこし迷った。迷ったが、たいした話はしなかったし、それをいちいち知らせるのも告げ口みたいで子供じみていると思い、また、正直に言えばどうでもいいという気持ちでもあって、結局連絡はしなかった。

由利は沈んだ声をしていた。用件を言いだしかねているようで、もう遥《はる》か昔——のように透には思える——高校周辺の散歩の話を、感謝の言葉と共にまた蒸し返して喋ったりした。

「吉田さんって憶《おぼ》えてる？」

そしていきなりそう訊いた。

「同窓会で、透くんも会ったんでしょう?」

と。透は、会ったよ、と、こたえた。数秒のまができた。

「どんなひと?」

また、ま。

訊かれた透も困惑したが、由利も、訊きながら困惑しているのがわかった。

「変なことを訊いてごめんなさい」

困ったようにそう言った。それからふいに茶化すような口調になり、

「耕二くんってば最近あやしいの」

と言って笑った。

「あやしい?」

訊き返したが、由利は説明せず、

「耕二くん、そのひとのこと何か言ってた? って、そんなふうに訊いても教えてくれないかもしれないけど」

と、一人で喋った。

「べつに何もきいてないよ」

そうこたえるよりなかった。暑い日に、そこに耕二がいるわけでもないのに、耕二の歩いた道だのパンを買ったパン屋だのを見るだけで目を輝かせていた由利が思いだされた。もうすこしで、耕二に誠意は期待しない方がいい、と言いそうになった。悪いやつじゃないけど、本気で誰かに恋をしたことなんかないんだから、と。

「そんなに心配？」

透が訊くと、由利は一瞬の躊躇《ちゅうちょ》もなく、

「心配」

と、即答した。あまりにもきっぱりした言い方だったので、透はつい微笑んでしまったのだった。かわいい子だなと思った。そして、そのかわいらしさがしかし自分にとってはまるで魅力に思えないことが、強烈に誇らしくもあった。

かわいらしいというだけで恋におちるなんて、みんななんて謙虚なのだろう。

運動会日和《びより》だ。

有楽町の交差点で信号が変わるのを待ちながら、耕二は空を見上げてそう思った。この季節には毎年必ず何日か、運動会を思いださせる空の日がある。運動会は好きだった。でもそれは運動が得意だったからではなく、空のせいだったような気がする。

他の日の空と、はっきり違う青さだった。

で、俺は何をしているんだろう。

煙草《たばこ》を捨て、それを踏みつぶすと、耕二は交差点をわたった。

喜美子は、もう七年フラメンコを習っていると言っていた。踊っていると、普段閉じ込められているものが解き放たれる気がする、と。

受付で「当日券」を売っていた。素人《しろうと》の発表会にチケットが要るのは意外だったが、耕二はそれを買い、廊下を進んだ。小さいが、贅沢《ぜいたく》なつくりのホールだった。クッションの貼《は》られた扉を押して中に入ると、着飾った子供が四、五人走りまわっていた。

座席を探して階段状の通路を登っていると、ほとんど空席ばかりの座席をはさんだ反対側の通路に、喜美子がいた。三人の女と、立ったまま喋《しゃべ》っていた。楽屋を訪ねでもしない限り、会うことはないと思っていた。出演者が客席にいるのはどうしてだろう。

耕二はそこにつっ立って、喜美子をみつめた。まじろぎもしなかった。喜美子が、あんなふうに平気な顔で、笑ったり喋ったりしていることが奇妙に思えた。

喜美子を連れ去りたいと思った。

いつもの場所に、アパートでもしけたラブホテルでもいいから、喜美子が素顔をさらけだす場所に、喜美子を連れ去りたいと思った。

どのくらいの時間、そうして眺めていたのだろう。一、二分、あるいはもっと短かったのかもしれない。そして、喜美子が耕二を見た。

喜美子の表情をよぎったのは、驚きではなく怒りだった。ほとんど憎悪《ぞうお》といっていいほどの、揺るぎない怒りだった。

それから、喜美子は何もなかったように談笑を続けた。耕二をちらりとも見なかった。完全に黙殺した。

耕二には、それ以上そこにいることはできなかった。扉を探し、ぶわりと不快にやわらかいクッションを押して外にでた。外にでても、歩調をゆるめず歩き続けた。あいかわらずきれいな青空がひろがっていたが、耕二には、それを認識する余裕はなかった。徹底的に、惨《みじ》めだった。

21

「どこ見てるの？」

ペットボトル入りの清涼飲料水を、こぽ、という音をたてて一口喉《のど》に流し込んで、由利が訊《き》いた。十月の代々木公園。まだ黄葉は始まっておらず、緑をとどめた葉が、それでも乾いた音をたてて風に揺れている。秋の空気はりんごに似た匂《にお》いがする。

「空」

耕二はこたえた。ベンチではなく芝生に直接腰をおろしているので、ジーパンごしに、地面のつめたい湿り気が伝わる。青い空だ。

「じゃあ質問を変える。何を考えてるの？」

隣で、由利はそう訊くと、耕二の肩にもたれた。

「べつに何も」

ラジコン飛行機をとばしている男や、しゃがみ込んで何かを拾い歩いている幼児やその母親や、カセットテープから陳腐な音楽を流してダンスの練習をしている高校生の集団や。公園にはいろんな人間がいる。

「耕二くん、私のこと好き？」

ふいに、由利が訊いた。おどろいたが、耕二は由利の顔を見て、勿論《もちろん》、と、こたえてやった。勿論好きだよ、と。本当のことだった。たぶん。

「なんか、暇だな」

仰向《あおむ》けになり、両手を頭の下で組んで、耕二は言った。授業は減り、バイトは夕方からで、彼女も暇だからいつでもデートができる。一般的に言えば、それが普通の学生の生活なのかもしれない。

自分でも自惚《うぬぼ》れていると思うが、耕二は、喜美子が自分を無視するとは思ってもみなかった。いつだって喜美子の方が過剰だった。それをうとましく思っていた。

喜美子の踊るところを見てみたかった。

喜美子の趣味になんか関心はないと思っていた。でも、彼女の踊るところを見てみたかった。切符もちゃんと買ったのだし、もう会えないのなら最後にしっかり見ておけばよかった。あのひとのことだから、きっと情熱的に踊るのだろう。

渋谷側から公園をでた。歩道橋のあちこちに、カラースプレーで落書きがされている。

ハムとチーズでサンドイッチをつくり、トーストしたものとつめたい牛乳で、昼近くなってから朝食を摂《と》りながら、透はゆうべの奇妙な会見を思いだしている。マンションは日が入ってあかるく、スモッグでくもったような窓の外遠くには、東京タワーが見えている。

「浅野にね、一度ちゃんと紹介しておいた方がいいと思って」

詩史に言われ、きのうの夕方『フラニー』で三人で酒を飲んだ。浅野はすこし遅れてやってきて、ジン・トニックを注文した。詩史の飲んでいたウォッカ・トニックと、それは見た目が似ていた。

「遅れて申し訳ない」

浅野は上着を脱いでウェイターにあずけ、スツールに腰掛けるとワイシャツの袖《そで》を折り返した。左手首に、詩史とおなじロレックスをつけているのが見えた。

グラスを合わせた。透のビールはすでに半分減っていた。それで、ペースをあわせるために、申し訳程度に口をつけてグラスを置いた。

「店を、手伝って下さるんですって?」

前置きもせず、浅野がそうきりだした。

「はい」

透はこたえ、詩史をみた。詩史は前を向いたままにっこりし、

「私の右腕候補よ」

と言った。浅野と詩史は似合いの夫婦にみえた。年齢も服装も声の調子も、子供の無い金持ちの夫婦然としてみえた。

「このひと、結構きびしいですよ、ビジネスには」

深みのある、喉の奥で巧みに笑いを含ませた声で浅野は言い、

「まあ、頑張って下さい」

と、余裕しゃくしゃくにつけたした。透は、しかし落ち着いてすわっていられた。浅野の余裕しゃくしゃくの風采《ふうさい》も態度も、むしろ滑稽《こっけい》だと思った。自分と詩史は一緒に生きているのだ。二人で共謀し、周到に物事を進めようとしている。浅野はそれに巻き込まれるにすぎない。

たとえ浅野がごく自然な仕草で妻の煙草に火をつけてやり、詩史がまたごく自然な調子で夫婦にしかわからないようなこと――誰それにお祝いを送っておいたから、とか、きのう誰それから電話があって、とか――を口にしたとしても。

会見はほんの三十分だった。

「じゃあ、いずれまたゆっくり」

浅野は言い、クレジットカードで支払いをすませると、詩史を連れてでていった。目の前のビールが、途端に何か嫌悪すべきもののように思えた。浅野によって支払われたビール。

「電話するわ」

詩史は言った。そして浅野とでていった。おそらくどこかのレストランへ。

透はサンドイッチの皿を片づけ、ゆうべの記憶も片づけようと努めた。自分たちの未来のための、周到な準備の一つにすぎないのだ、と。

電話が鳴り、透は、詩史からではないはずだ、と、自分に言いきかせてから受話器をとった。そうすることは、もう習慣になっている。電話は耕二からだった。

「お前いま暇?」

耕二はいきなりそう言った。

「由利と一緒なんだけど、暇ならでて来いよ」

「どこにいるんだよ」

渋谷、と、耕二はこたえた。暇でさ、とつけたす。ホテルで真昼のセックスをしようと思ったのに、ホテルでは嫌だと由利に断られた、ということは、無論説明しなかった。耕二くんのお部屋ならいい、と由利は言ったのだが、電車を乗りついで一時間以上かかるのであきらめたのだった。

「暇？　めずらしいな」

透は言った。お前んちに行ってもいいけど、という耕二の提案もわずらわしかったので、いいよ、そっちに行く、と、こたえた。そして、三十分後には渋谷にいた。

ハチ公前というばかみたいな場所で、似たような若い奴《やつ》らばかりが所在なさげにつっ立っている雑踏の中で、耕二と由利に会った。

「きっかり三十分。都心に住んでるぼんはいいよな」

耕二が言った。透の目に、耕二と由利はこの騒々しい街になじんでいるように見えた。まわりの若い奴らと変りがないように。

「元気そうじゃん」

挨拶《あいさつ》がわりにそう言ってみる。由利はなんだか元気がなさそうに見えたが、それは言わずにおいた。

「就職活動、してる？」

耕二の挨拶がわりはそんな言葉で、透は、してない、とこたえた。

「どーすんだよ」

耕二はまじめにおどろいたようで、透は、かつてコンビニの雑誌売り場で、国立大学にいくべきだと耕二に説教されたことを思いだす。

「ほっとけよ」

微笑《ほほえ》んで、そう言った。耕二には、きっと自分が得体の知れない人間に見えるだろうなと思った。耕二はおそらく精力的に就職活動をして、すでに何らかの方向を——自分の中だけのことにせよ——見つけているのだろう。

「ひさしぶりだな、こんな時間の渋谷」

透は言い、電光掲示板に映るＣＭを見上げた。

一時間ビリヤードをして、一時間街をぶらついた。ＣＤ屋をひやかし、スターバックスでつめたいコーヒーを飲んだ。スポーツ用品店の前を通ったとき、耕二はいかにも憧《あこが》れを込めた口調で、

「ああスキー行きてえ」

と、言った。透にはその何もかもが、ひどく遠い世界のことに思えた。そして、もう随分ながいこと詩史に会っていないと思った。ゆうべと今とは何万年も離れている、と。

「お前きょう暇ならさ、夜もつきあえよ」

スターバックスで由利が化粧室に立ったとき、耕二が言った。

「バイトは？」

「病欠にするから」

由利のいない隙《すき》に言うということは、由利には知らせたくないのだろう。

「悪い。家庭教師があるんだ」

お前も病欠にしろよ、と耕二は言い、透はあきれた。

「何で」

耕二は透をじっと見て、わかった、と言った。よーくわかった、と。

「何が？」

「お前がつめたいってことがだよ」

反論しようとしたところに由利が戻ってきたので、透は仕方なく口をつぐんだ。バイトを病欠にしてまで話したがるというのは耕二に似合わないことだった。どうせ女の話だろうとは思ったが、家庭教師が終るまで待ってもらえればつきあう、と、言うタイミングがなかった。それで、別れ際《ぎわ》に、

「今夜電話するよ」

とだけ言った。耕二は、おう、とこたえ、由利と改札口に入っていった。

まったく、何もかもついていない。不機嫌な由利にはホテルを拒否されるし、親友にはSOS――耕二にしてみれば、これはかなりなSOSだった。女ではなく、橋本でもなく、透と話がしたかったのだ――をあっさりと蹴《け》られた。頭からは喜美子が離れないし、しかし喜美子に未練がましく電話をしてしまうことだけは、なんとしても避けなくてはならない。

未練――。その言葉に、耕二は自分でぎょっとする。未練がましく喜美子に連絡してしまうことを、つまり自分は恐れているのだ。由利か透か、ともかくそばに誰かがいて、それができない状態をつくりたかった。

結局バイトにでることにした。ロッカールームで煙草《たばこ》を吸いながら、喜美子のことを思った。あの日、涙声で電話をかけてきた喜美子の、話をきいてやらなかったことを悔やんだ。こういう結果になったからではなく、単純に胸が痛んだ。由利を部屋で待たせてでも、外にでて会ってやればよかったと思う。

喜美子は一人ぼっちなのだ。

夫のある女だというのに、耕二は確信を持ってそう感じる。いままで気づかなかった自分にあきれはてる。耕二と会っているどの瞬間も、喜美子は一人ぼっちだった。

ノックの音に続いてドアがあき、アルバイトの一人が顔をだした。

「耕二さん、お客さんですよ」

まったく油断していたのは、ロッカールームの電話から、いまにも喜美子に電話をしようとしているところだったからだ。喜美子と自分があんなにも惹《ひ》かれあったのは、二人とも一人ぼっちだったからだ。夫がいようと由利がいようと、埋められない孤独を抱えあっていたからだ。ともかく耕二にはそう思えたし、いますぐ喜美子に会いたかった。なじられてもなぐられても構わなかった。喜美子の温度が恋しかった。皮膚の、そして感情の温度が。

フロアにでると、レジの傍に吉田が立っていた。耕二を見てもにたっとは笑わず、陰湿な——と耕二には思える——思いつめたような表情をしていた。おかっぱだった髪が、ほとんど刈り上げに近いショートカットになっている。

「何だ?! その頭」

耕二はついそう口走った。もともと痩《や》せすぎであるのに、むきだしになった首がなお痛々しくみえる。

「耕二くんのせいだからね」

吉田は言い、入店伝票も待たずにさっさとバーカウンターにすわった。

「連絡、してくれると思ったのに」

むくれたままぼそぼそと言い、言っている最中にみるみる涙がふくらんで、うつむくとぼたぼたと膝《ひざ》に落ちた。あまりにもいきなりだったので、耕二には状態が把握できなかった。

「やめろよお前、俺が泣かしたみたいじゃん」

吉田はうつむいたまま洟《はな》をすすり、湿ってはいるがしっかりした声で、

「その通りだもん」

と言う。

「待ってたのに。約束したからちゃんと大人しく、ここにも来ないでアパートにも行かないで、ずっと待ってたのに」

盛大に洟をすすり上げる。顔を上げると、両目が濡《ぬ》れて鼻が赤くなっていた。耕二は動揺した。

「一回ぐらいしてくれてもいいじゃん。どうせ耕二くんなんていっぱいしてるんでしょう」

一体なんだってこいつにこんなことを言われなくちゃならないんだかわからない、と、耕二は半ば途方に暮れた。

「筋が通んないだろ」

理性をかき集め、できるだけやさしい声をだして耕二は言った。

「どうして俺たちが、一回だろうと何だろうとそういうことになるのか、っていうか、そういうことになるとお前が思うのかさあ、筋が通んないだろ」

吉田は首をかしげ、

「筋が通れば寝てくれるの?」

と訊《き》く。

「そういうことじゃなくてさ」

とりあえずなだめようと、やさしい声などだしたことが馬鹿馬鹿《ばかばか》しく思えた。

「でももういい。あの約束はもう忘れていいよ。私、家出したの」

耕二は絶句した。吉田は鼻を赤くしたまま、涙のあとも消えやらぬまま、にたり、と、笑った。

午前一時。吉田は耕二の部屋にいる。残り少なくなった「由利用」の紅茶をのみながら、

「あの約束はもうなしだから、ただの同居人として扱ってね。手をだしたら蹴《け》るから

ね」

などと言う。新宿駅のロッカーに入れてあったという大きなボストンバッグからパジャマをだして着て、目ざまし時計もだしてさっさとセットしている。

「あの約束のかわりに一日だけ泊めて、迷惑はかけないようにするから」

吉田はしゃあしゃあと言う。

「迷惑って、もう十分かけてるじゃん。信じられねえよ」

最後はつぶやきみたいになった。

「絶対きょうだけだぞ」

耕二が言うと、吉田は一瞬困ったような顔をして、

「わかってる」

と、こたえた。ややあって、

「電話借りていい?」

と、訊く。

「いいけど、もう遅いぞ」

耕二自身、留守番電話に残された透からの伝言――きょうはつきあえなくてごめん、あしたでもあさってでも、近いうちにまた改めて飲もう、と、透は言っていた。電話

をしてくれ、と——を聞いても、かけ直すのを遠慮していた。

予期せぬなりゆきではあるが。耕二は考える。予期せぬなりゆきではあるが、恐れていた吉田から、一晩泊めてやるだけで放免されるのならむしろ歓迎すべき機会だ。同窓会の晩に一度泊っているのだし、この場合、一度も二度も、さして変りはないように思える。

「もしもし？」

吉田の声が、低いくせにひどく挑戦的だったので、耕二は思わず振り返って吉田の顔をみた。吉田はこわばった青白い顔で、電話の相手の言葉をきいている。それにしても思いきりよく髪を切ったものだ。まるで男子小学生みたいに。

「いやよ。帰りません」

吉田は言った。

「いま耕二くんのアパートにいるの。だから心配しないで」

耕二の指先から、ぞわりと血の気がひいた。吉田の電話の相手が、厚子だとわかった。耕二には、目の前の吉田がゾンビのように思えた。

だから心配しないで。

そう言ったときの吉田の声には、あきらかに相手を愚弄《ぐろう》するような響きがあった。

耕二は、ひどく動揺し、うろたえているに違いない厚子を思った。寝巻のまま受話器を握りしめているのだろう。彼女は夫を起こすだろうか。そして、たったいま娘から聞いた名前を、夫に報告できるだろうか。

耕二はほとんどめまいがした。考えられる限り最悪のなりゆきだった。

「じゃあね、おやすみなさい」

吉田は言い、電話を切ると、耕二を見据えた。

「何？」

と、訊く。

「泊る場所くらい言っとかないと心配すると思ったから電話したのよ」

と。

「私、お母さんだけは許せないの」

そう言うと勝手にベッドに入って布団《ふとん》をひっぱり上げ、ベッドの中からなおも一人で、

「言っとくけど耕二くんのことはべつに恨んでないよ。耕二くんが誰を好きになろうと勝手だもん。でもお母さんは違う。お母さんにはお父さんがいたし、私もいたのに」

と一気に喋《しゃべ》った。それに、と言って起きあがり、つっ立っている耕二をじっと見る。

「それに、あの人いまでも耕二くんが好きなのよ。信じられる?」

耕二は何も言えなかった。ただ黙ってつっ立って、刈り上げみたいなショートヘアの、痩せっぽちの吉田を見ていた。

22

「信じられない」

耕二の話をきき、透は心から呆《あき》れてそう言った。他に言葉がなかった。

「信じられない」

それでそうくり返した。いまうちに吉田がいる。耕二はそう言ったのだった。いきなりころがりこんできた、と。吉田は家出をしてきたのだそうだ。一晩だけって言ったくせにもう三日も居すわっている、と。

「何やってんだ？　お前」

透が言うと、耕二は素直にも、

「俺にもわからない」

と言うのだった。

「あいつガキなんだよ」

甘辛いたれにつけて焼いた鶏《とり》の手羽先を食べさせる店で、二杯目のビールをのみながら耕二は言った。

「あいつって？」

透も二杯目のビールをのんでいる。

「吉田。厚子さんのこと恨んでんの。ガキだろ？　厚子さんをつらくするだけの目的で、たぶんあいつ俺にまとわりついてるんだと思う」

耕二は、すこし痩せたように見えた。筋肉質ではあるが、もともと痩せた体型なのだ。高校時代の身体検査では、いつも〝痩せすぎ〟に分類されていた。

吉田――。透の記憶にある吉田は、まだ制服を着ている。昼休み、可愛《かわい》らしいハンカチに包まれた弁当を抱えて、放送室に向って急ぎ足で歩いていく姿が印象に残っていた。

「お前のやり方は人を傷つける」

透の言葉に、耕二は眉《まゆ》を上げ、口の横を片側だけくぼませて笑った。手羽先をつかみ、まんべんなく焦《こ》げた皮と肉を骨から噛《か》みとる。油のついた指をおしぼりにこすりつけて拭《ふ》いた。

透には、吉田が耕二を――あるいは自分の母親を――、どう思っているのかわかりようもなかった。でも、あのころ、耕二に一緒に帰ろうと誘われたり、日曜日に家に遊びにいきたいと言われたりして、吉田は嬉《うれ》しそうに見えた。高校生の女の子にとって、それは普通嬉しいことなのではないか。

「傷つくってことに関して言えばさ」

おしぼりで唇を拭《ぬぐ》ってから耕二が言った。

「生れた瞬間には誰も傷ついてないんだぜ。俺それについて考えたんだけど、たとえどっか不自由に生れついたり、病弱だったりひでえ親だったりしてもさ、生れた瞬間にはそいつは全然傷ついてないわけじゃん。人間って全員完璧《かんぺき》な無傷で生れてくるんだぜ、すごくない？　それ。で、あとはさ、傷つく一方っていうか、死ぬまでさ、傷はふえるだけだろ、誰でも」

透はしばらく黙っていた。その通りだと思った。

「でも、だからって傷つけていいことにはならないだろ」

耕二はまた口の横をくぼませて笑った。それは何か痛々しいような笑い方に、透には思えた。傷をふやしているのは耕二の方であるように。耕二は三杯目のビールを注文する。

「傷つけてもいいなんて言ってないだろ。傷つくしかないって言ってるの」

煙草《たばこ》をくわえて火をつける。

「誰だって傷つくしかないのにさ、傷つくことに抵抗するんだよな、女って」

透には、それに同意する理由はなかったが、反駁《はんばく》する理由もまた、思いつかなかった。

おもてにでると、地面が濡れていた。

「雨が降ったんだな」

空気がつめたかった。

「いいじゃん、もう上がってるならべつに」

耕二が言い、透は苦笑した。

「いいよ、そりゃあべつに。お前あいかわらずだな、人につっかかるみたいな物言い」

あと数日で十一月になる。透は白いセーターを、耕二はだらりとした素材の黒いジャケットを着ていた。水を含んだ空気の中を、ならんで歩く。

「そういえば俺、就職決めたよ」

うそ、と随分大きな声で言って、耕二は立ちどまる。

「どこに?! いつ?! お前それ、早くねえ?」

透はすがすがしい夜気をすいこんだ。

「いいじゃん、早くても。もう決めたんだから」

その話はまた今度な、と言って、先に立って歩く。駅からあかりがこぼれていて、券売機の前には行列ができている。

これから詩史に会うことになっている。遅くなってもかまわないわ、と言われていた。でも会いたいの、透くんがちゃんと存在しているっていうことを確かめたいの、と。詩史に言わせると、詩史は「どんどん度を失っていくので、自分で自分が怖い」のだそうだ。

透は思わず笑みをこぼしてしまう。これから詩史に会いにいくのだ。

「じゃあまた。吉田によろしくな」

改札をくぐって、逆方向の電車に乗る耕二と別れる。ふいに思いだしてふり返り、

「そういえば由利ちゃんから電話があったよ。吉田のこと、心配してるみたいだった」

と、告げた。

「うそだろ。いつ?!」

耕二は慌《あわ》てふためいた顔をした。

「もうだいぶ前」

そっけなくこたえて、透はホームに続く階段をのぼった。

「信じらんねえ」

とり残された耕二は声にだしてつぶやいた。そういえばそういえばって、大事なことを二つも最後に。

立っている耕二をいかにも迷惑そうによけながら、人波がうようよと流れていく。

どーすんだよ。

今度は胸の内でつぶやいた。ほんとに信じられない奴《やつ》だな。

アパートに帰りたくはなかった。喜美子に電話をしてみようか。もう百ぺん目になる考えが浮かんだ。夜のプラットフォームはしらじらとあかるく、若い奴らばかりがいる。この時間では、喜美子の夫がもう帰ってきているだろう。つきあっていた頃でさえ、こんな時間に電話をかけたことはなかった。

「寒《さむ》」

耕二は、未練がましく電話をかけるという考えを退けた。腹がいっぱいであるにもかかわらず、なんとなくポカリスエットを買ってその場でのんだ。見慣れた渋谷の街が、雨に洗われて淋《さび》しく美しく見えた。

うちに帰ると吉田がいる、と思うのは妙な気分だった。新宿で中央線に乗り換え、駅からアパートまでの道をぶらぶら歩きながら、耕二はつくづくそう考えた。望みもしない状況になるのは、ばかな奴だけかと思っていた。

気がとがめるのは、吉田にではなく厚子にだった。厚子さんとああいうことがあったのに、俺が吉田にも手をだした、と、厚子さんは思っているかもしれない。耕二には、それは耐えがたい誤解だった。自分は助平だが、恋愛に対して不道徳ではないと思っている。

「お前のやり方は人を傷つける」

透に言われるまでもなく、そんなことは自分でわかっていた。

「言っとくけど耕二くんのことはべつに恨んでないよ」

吉田の言葉は実際こたえた。逆だったらずっと気が楽だろうと思う。吉田が、厚子ではなく自分を恨んでおいてくれたら。

鍵《かぎ》をあける音で、吉田が玄関にとびだしてきた。シャワーを浴びたあとらしく、つるんとした顔に短い髪で、パジャマを着た姿は子供じみてみえた。

「おかえり」

早かったね、と、嬉しそうに言う。バイトを病欠にして透と会うということを、耕二は吉田に告げずにでかけた。

「いつまでいるんだよ」

ぶっきらぼうに言い、靴を脱いだ。風呂《ふろ》あがりの、清潔な匂《にお》いがそこらじゅうにただよっている。

「ね、見て、これ、かわいいでしょ」

吉田はそう言うと、コーヒーカップほどの大きさの、小さな鉢植えを捧《ささ》げ持って見せた。CDプレイヤーからは、耕二の趣味とかけ離れた女性歌手の曲が流れている。

「何だ、それ。どこがかわいいんだよ」

鉢植えには細い茎がでているだけで、何の花も咲いていなかった。

「耕二くん、意地悪だね」

小さな声で言い、吉田はしょんぼりしてしまった。

「はやく出てけよな」

耕二はむっつりとそう言った。

数日後に、由利にふられた。由利の気に入りの――そして二人ではじめてデートをした場所でもある――そのパンケーキ屋に呼びだされて、ふられたのだった。

「耕二くんのこと、もう信じられなくなった」

由利はむしろ怒っているようで、耕二とろくに目も合わせずにそう言った。

耕二は深いため息をついた。

「それで?」

促すと、由利ははじかれたように顔を上げ、由利に似合わない激しさで、

「それでって?」

と、訊き返した。さらに語気を強め、

「それだけだよ。それだけで十分でしょ。他に何がいるの?」

と、言う。耕二は黙っていた。ひきとめる体力が残っていないように感じたし、その意欲が湧《わ》かなかった。反論も思いつかなかった。

「黙ってるなんて最低。耕二くんほんとに最低」

由利は言い、唇をひき結んだまま、泣くまいとしながら耕二をにらんでいる。耕二はまたため息をついた。

「そのため息やめてよっ」

由利に言われ、仕方なく煙草《たばこ》に火をつける。女はみんな何だってこう簡単に泣ける

のだろう。

「耕二くんのこと好きだったのに」

由利は、しかしまだ涙をこぼしてはいなかった。耕二がたじろぐほどのエネルギーで、言葉をぶつけてくるのだった。

「電車の中で脚ひらいて坐《すわ》るし、忙しくてなかなか会えなかったりするし、女の子のことかわいきゃいいって思ってるオジサンみたいなところもあるけど、でも好きだったのに。衿《えり》の大きいシャツとか着て、ちょっとホスト入ってるみたいなカッコだって、お友達はへんって言ったけど、私は好きだった。だって耕二くんやさしかったし
……」

そこまで言って、また唇をひき結ぶ。ついに涙を落とし、しゃくり上げながら、

「でもうやだ」

と、言った。

「ごめん」

あやまったが、どういうわけか冷淡なあやまり方になった。由利は鞄《かばん》からハンカチをだし、たたんだままのそれを鼻と口におしあてて、テーブルに片肘《かたひじ》をつき、上を見て涙を止めようとしている。やがて、

「もういい」

と、鼻づまりの声で言った。耕二は煙草を消し、

「ごめん」

と、もう一度言った。言ってすぐに立ち上がったので、でもそれはやっぱり、あまりやさしくは聞こえなかっただろう。


十一月になると、雨の日が続いた。

透は自室でインスタントコーヒーをのみながら、ロレンス・ダレルを読んでいる。『ジュスティーヌ』から始まって『クレア』に至るアレキサンドリア四重奏は、詩史がかつて愛読したものだという。

詩史さんの読んだ本はすべて読みたい。

透はそう思っている。

いずれそうなるだろうとは思っていたが、母親が詩史に直談判《じかだんぱん》したらしい。詩史が電話で、小さく笑ってそう話した。

「ごめん」

自分があやまるのは変だとも思ったが、あやまらずにはいられなかった。詩史はま

た、小さく笑った。

「でられる?」

そしてそう訊《き》いた。

「おいしいものを食べましょう。仕事の話もあるのよ」

八時に『フラニー』で。そう約束して電話を切った。そのあと、いつもの店にテーブルを予約しておくから、と。

母親との会話の詳細は教えてもらえなかった。それは私と陽子さんの問題であって、あなたが心配することじゃない、のだそうだ。

透は、はじめて詩史に会った日のことを思いだす。母親に紹介されたのだ。透は高校二年生だった。

「音楽的な顔をした息子さんね」

詩史はそんなことを言った。

つきあい始めて間もないころ、詩史とでかけた映画の試写会場で、母親とばったり会ってしまったことがあった。母親はおどろいたようだったが、せっかくだから一緒にお茶でものみましょうと言い、三人で手近のフルーツパーラーに入った。透は非常に不本意だった。いまもはっきり思いだせる。でもあのときの自分には、どうする術《すべ》もなかった。

透はコーヒーカップを片づけ、リビングの窓をあけた。東京タワーにはすでに灯りがともり、冬の雨が世界を濡《ぬ》らしている。

あのころとは、すべてがもう全然ちがっている。

透は思う。大丈夫だ、と。なにもかも大丈夫だ、と。バスルームにいき、シャワーを浴びる。

来週は父親と会うことになっている。問題は山積みだが、それはむしろ愉《たの》しいことに思えた。とるにたらないことのように。

『フラニー』で詩史に会ったら、最近はいつもそうであるようにまずキスをするだろう。それから一杯ずつのんで、いつもの店に移動する。いつもの店は、きっと扉窓がテラスに向けて開け放たれているだろう。夜の空気が流れ込んでくる。

湯気の中で、透は目をつぶり、梨《なし》の匂いの白い石けんを、身体《からだ》にこすりつける。


深夜。

耕二は疲れきっていた。金曜の夜で、店は混んでおり、団体客も入っているので騒々しい。吉田は依然として居すわっていた。

昼間担任に呼びだされた。必修課目の単位が一つあやういと言う。「良」はカタイと思っていたレポートだった。

「ああ、喉《のど》かわいた」

カウンターに和美がやってきて、「前田さん」のためのラム・コークと、自分のためのウーロン茶を注文した。

「幸せそうだね、和美ちゃんはいつも」

耕二が言うと、和美は嬉《うれ》しそうにうなずき、

「当然」

と言った。

「若いのに乗り換える気はないの?」

世間話のつもりで言うと、和美は、

「ない」

と即答したあとで、ふいに何か考える表情をして、だって、と説明した。

「だって、イマドキちゃんとした恋をしようと思ったら、年上の男の人としかできないもん。おない年の子たちなんてつまらない。お金とかじゃないよ」

それから台をふり返り、「前田さん」に手をふって合図する。

「だってカッコイイでしょ、うちの前田さん」

和美は言い、嬉しくてたまらないとでもいうように、顔じゅうをほころばせた。

「そりゃごちそうさま」

耕二は言い、言いながら、この女を前田から奪うことは可能だろうか、と考えた。ほんの一瞬のことではあったが、それは耕二には、十分にながい一瞬だった。和美を欲しいというよりも、奪うことが可能かどうか、知りたかった。

まず吉田を追いだして――。耕二は考える。とりあえずこの疲労が回復したら――。

窓の外にはうらぶれた夜景が、雨に濡れてネオンをにじませていた。

あとがき

港区芝に大叔母の家があり、子供のころ、母に連れられて遊びにいきました。小さな子供のいない美しい家で、玄関に貝殻の飾りがかけられていました。毛の艶《つや》やかなコッカスパニエルが一匹いたのを憶《おぼ》えています。大叔母はそこに姉妹で住んでいて、私は姉の方を「煙草《たばこ》のおばちゃん」（煙草ばかりすっているので）、妹の方を「お料理のおばちゃん」（かなり料理上手なので）と、呼びならわしていました。そう頻繁に訪れたわけではないのですが、私はその家が好きでした。

その家は坂の上にあり、帰るとき、駅につづく長い坂の上から、正面に東京タワーが見えました。帰りはいつも夜でしたから、東京タワーはぴかぴか光っていました。それを見るとき、大人の人生がいいものに思え、私もはやく大人になりたい、と思ったものでした。

十九歳の少年たち（途中で二十歳になりますが）の物語を書こうとしたときに、

それは東京タワーの見守ってくれる場所の物語にしよう、と思いました。東京の少年たちの物語にしよう、と。

連載開始時に、リサーチと称してつくった無躾《ぶしつけ》でプライヴェートなアンケートに、快く協力してくれた五人の元少年たちに感謝します。そして、そんなに若い男の子たちに、おそらくは不覚にも恋をした、二人のあまり若くない女たち――詩史と喜美子――には、敬意と同情を禁じ得ません。恋の前で、人はたぶん勇敢にならざるを得ない。

読みながら、あらまあ、と思っていただけたら嬉《うれ》しいです。

二〇〇一年　つめたい雨の降る秋の終りに。

江國香織

解説　厄介で純粋な恋愛小説

源　孝　志

最近、僕の好きな若い男優さんに、

「江國香織さんってどういう女性ですか？」

と訊《き》かれた。「どういう人」ではなく「どういう女性？」である。そういえば以前にも、一緒に仕事をしたミュージシャン（こちらも若い）に同様の質問をされたことをその時思い出した。彼らによると江國香織という作家は、なにやら「官能的」な匂《にお》いがするのだそうだ。長年江國香織ファンである僕にしてみれば極めて不可解なことである。「官能的」という形容詞は彼女に似つかわしくない。それを言うならむしろ「抑制的」とかだろう？　と彼らに言ってやりたい。

江國作品に出てくる女性は皆、安易に男と寝ない。あるいはセックスにさほど執着しない（プライオリティーが低いといった方が正確かもしれない）という動かしがたいイメージが僕にはある。ある種の潔癖《けっぺき》さと言っていいかもしれない。それは童話作家としてスタートした彼女の作品のなかに連綿と受け継がれているキャラクター設定の核（コア）のようなものだという気がしている。その昔、初めて彼女と酒席を共にした際、無礼を承知で本人にそのようなことを話したことがあるが、その時彼女にこう言われた。

「それは源さんがそういう女の人が好きだからだと思います。そうじゃないキャラクターもいっぱいいるんだけど」

なるほど。そんなものでしょうか？　しおらしく頷《うなず》いたものの、けっして納得したわけではない。相変らず僕の中にある江國ワールドの女たちは、肉欲に対してどこか自制心が強くて潔癖だ。

が、しかし、江國香織という表現者を「官能的」だと感じる若い男たちのイメージの素《もと》が何であるのかは察しがついている。本書『東京タワー』がそれだろう。彼女にしてはめずらしく少年たちの目線で描かれたこの物語は、江國作品の中では若い男たちが読んですんなり腑《ふ》に落ちる数少ない小説の一つではないだろうか。実際、彼女の他の作品と比べても異質で独特な手触りがする。この小説の中では少年たちとその年上の恋人たちのセックスが、十分な粘着力と触感、湿度をもって描かれている。その「らしくなさ」に戸惑うのもつかの間、いつのまにか二組の異形の恋人たちから目が離せなくなってしまう。改めて江國香織という作家の幅の広さを感じさせられたのだが、映像化するに当たってこれほど厄介な原作もなかった。

『東京タワー』の映画化の話が僕のところに舞い込んできたのは、この小説が新刊として本屋の店頭に並んで間もない頃だった。当時僕はすでに読み終えており、これは映像化の至極難しい作品だなという自分なりのジャッジもついていた。だから真面目《まじめ》に映画化の話が持ち込まれた時はプロデューサー氏の意図を図りかねた。いったいどんな完成型のイメージがあるんですか？　と。

不定形で不安定に揺れ動いてゆく人間の恋愛感情を、作者しか持たない「神の手」でさっとすくい上げて紡《つむ》いでいくようなタイプの小説は、映像化という総《すべ》てを具体的にしてゆかなければならない作業とは本質的に相容《あいい》れない。『東京タワー』はまさにその典型だといえる。江國香織は意図的にそういう感覚的手法で、歳《とし》の離れすぎた人妻にハマってゆく東京の男の子たちの「恋愛の場」のみを連続的に描き、登場人物それぞれの実生活や人生という具体的なものから、思い切って切り離して純度の高い恋愛小説を作り上げている。ある意味リアリティーが無いところこそこの作品の最も美しい部分なのだが、生身の役者が演じ、彼らの肉声で台詞《せりふ》を吐《は》いた瞬間、それがどれほど巧《たく》みに脚色されていようと、原作と全く違うものとして出現してしまう事は最初からわかりすぎるほどわかっていた。要は映画監督として全く別物の『東京タワー』を作るべく腹をくくれるかどうかであった。小心な上に江國ファンである僕は、その決心がつくまで半年かかってしまった。

そのようにくどくど悩んでいたある日、プロデューサーに勧められてミヒャエル・ハネケ監督の『ピアニスト』を観《み》た。

「あの残酷な恋愛の感じが参考になるかも」

と彼は言った。イザベル・ユペール演じる音楽大学でピアノを教える中年女が、その教え子である若い学生との肉体関係で加速度的に性に倒錯していくという設定は、どこか喜美子《きみこ》と耕二《こうじ》の関係を彷彿《ほうふつ》とさせた。コントロールを失ったヒロインの不条理きわまる行動に、全く思い入れできぬまま観客は翻弄《ほんろう》され続け、最後は唐突に突き放される。観る側の納得感など無視したあの取り付く島の無さに、詩史《しふみ》や喜美子の恋が内包する残酷さや空虚さ（嘘《うそ》臭さ）を表現するヒントがあるのでは、と考えたプロデューサーのセンスはさすがだったが、内視鏡で生きている人間の臓器を覗《のぞ》く様な、日本人には受け入れ難い心理描写はさすがに参考にはできなかった。映画としてのジャンルが違う気がしたたし、ましてや江國香織の描く世界とマッチしないことははっきりしていた。

しかし全くの無駄でもなかった。内視鏡カメラのリアルな映像でなければいい。さしずめレントゲン写真あたりの曖昧《あいまい》さが、詩史や喜美子の心の中にある不確かな欲望という影を映し出すには適当かもしれないと思い至った。彼女たちの恋の相手である透《とおる》と耕二は、その心のレントゲン写真をしげしげと見つめる若いインターンである。

結果として映画『東京タワー』は原作と似て非なる恋愛映画として世に出た。演者たちの無二の存在感にも助けられ、とても美しい映画に仕上がったと思っている。たくさんの観客に観てもらえたことも心から嬉《うれ》しく思うし、原作者・江國香織に対しても余分な後ろめたさは無い。ただ、ヒットしただけに正直面映《おもはゆ》いところもあったりする。江國香織は、自分の作品が映像化されたどの場合でも監督に対して寛容な人なだけに、なおさらだ。

「映画は映画なりの句読点を打ってもいいと思う。素敵であればそれでいい」

そう言ってくれる彼女に、僕は大作家の風格さえ感じてしまうのだ。

原作小説と映画の幸福な結婚というのはなかなか難しい。江國香織の小説は特に難しい。そのなかでもとりわけ厄介な『東京タワー』に手を出した僕たちは、なかなかのチャレンジャーだと褒《ほ》めていただきたい。せめて。

そんな僕らに、江國香織がクランクイン前に贈ってくれた言葉を最後に紹介したい。

「恋愛の持つ甘やかさ、残酷さは、人生と相容れない」

次に彼女の作品を映画化する機会に恵まれたなら、今度こそ彼女の隣で照れずに初号試写を見られる自分でありたいと思う、今日この頃です。

（二〇〇六年二月吉日、映画監督）

この作品は平成十三年十二月マガジンハウスより刊行された。

江國香織著

絵本を抱えて　部屋のすみへ

センダック、バンサン、ポター……。絵本という表現手段への愛情と信頼にみちた、美しい必然の言葉で紡がれた35編のエッセイ。

江國香織著

ぼくの小鳥ちゃん

路傍の石文学賞受賞

雪の朝、ぼくの部屋に小鳥ちゃんが舞いこんだ。ぼくの彼女をちょっと意識している小鳥ちゃん。少し切なくて幸福な、冬の日々の物語。

江國香織著

神様のボート

消えたパパを待って、あたしとママはずっと旅がらす…。恋愛の静かな狂気に囚われた母と、その傍らで成長していく娘の遥かな物語。

江國香織著

すみれの花の砂糖づけ

大人になって得た自由とよろこび。けれど少女の頃と変わらぬ孤独とかなしみ。言葉によって勇ましく軽やかな、著者の初の詩集。

江國香織ほか著

いじめの時間

心に傷を負い、魂が壊される。そんなぼくらにも希望の光が見つかるの？「いじめ」に翻弄される子どもたちを描いた異色短篇集。

篠田節子ほか著

恋する男たち

小池真理子、唯川恵、松尾由美、湯本香樹実、森まゆみ等、女性作家六人が織なす男たちのラブストーリーズ、様々な恋のかたち。

唯川恵著　**あなたが欲しい**

満ち足りていたはずの日々が、あの日からゆらぎ出した。気づいてはいけない恋。でも、忘れることもできない―静かで激しい恋愛小説。

唯川恵著　**夜明け前に会いたい**

その恋は不意に訪れた。すれ違って嫌いになりたくて、でも、世界中の誰よりもあなたを失いたくない――純度100％のラブストーリー。

角田光代著　**真昼の花**

私はまだ帰らない、帰りたくない――。アジアを漂流するバックパッカーの癒しえぬ孤独を描いた表題作ほか「地上八階の海」を収録。

川上弘美著　山口マオ絵　**椰子・椰子**

春夏秋冬、日記形式で綴られた、書き手の女性の摩訶不思議な日常を、山口マオの絵が彩る。ユーモラスで不気味な、ワンダーランド。

小池真理子著　**恋**　直木賞受賞

誰もが落ちる恋には違いない。でもあれは、ほんとうの恋だった――。痛いほどの恋情を綴り小池文学の頂点を極めた直木賞受賞作。

小池真理子　唯川恵　室井佑月　姫野カオルコ　乃南アサ著　**female**（フィーメイル）

闇の中で開花するエロスの蕾。官能の花びらからこぼれだす甘やかな香り。第一線女流作家5人による、眩暈と陶酔のアンソロジー。

東《とう》京《きょう》タワー

新潮文庫　え-10-11

平成十八年三月一日発行

著者　江《え》國《くに》香《か》織《おり》

発行者　佐藤隆信

発行所　株式会社　新潮社

郵便番号　一六二―八七一一
東京都新宿区矢来町七一
電話　編集部(〇三)三二六六―五四四〇
　　　読者係(〇三)三二六六―五一一一
http://www.shinchosha.co.jp

価格はカバーに表示してあります。

乱丁・落丁本は、ご面倒ですが小社読者係宛ご送付ください。送料小社負担にてお取替えいたします。

印刷・錦明印刷株式会社　製本・錦明印刷株式会社

ISBN4-10-133921-X C0193